Millionäre unerwünscht: Reicher Mann? Nein, Danke!
Nancy Salchow
Taschenbuchausgabe
Erste Auflage, Januar 2017
© Nancy Salchow, Postfach 1560, 23958 Wismar
Covergestaltung: Nancy Salchow
Coverfotos:
Frau © Olly – Fotolia.com
Mann © YakobchukOlena – Fotolia.com

Kontakt:
nurso@nancysalchow.de
www.nancysalchow.de
Printed in Germany
by Amazon Distribution GmbH, Leipzig

ISBN-13: 978-1542726825
ISBN-10: 1542726824

Nancy Salchow

Millionäre unerwünscht

Reicher Mann? Nein, Danke!

Roman

Über das Buch

Felina hat sich ihre Karriere als erfolgreiche Autorin mühsam erarbeitet. Jung, talentiert und attraktiv – die Welt scheint ihr offen zu stehen, ihre Liebesromane über Millionäre sind vor allem bei ihren weiblichen Fans beliebt. Bis plötzlich ein männlicher Leser ihre Bücher öffentlich schlecht macht und ihr vorwirft, vollkommen unrealistische Vorstellungen von Millionären zu haben und ihre Leserinnen für dumm zu verkaufen.

Als Felina den lästigen Nörgler namens Elian persönlich kennenlernt, stellt sich heraus, dass er selbst stinkreich ist und sich deshalb so gut mit dem wahren Leben reicher Männer auskennt. Dass es gerade sein selbstsicheres Auftreten ist, dass Felina so anziehend findet, versucht sie zu ignorieren, denn eines weiß sie genau: Über reiche Kerle zu schreiben, ist das Eine, aber sie auch im wahren Leben zu lieben, kann auf Dauer nur Probleme bringen. Woher soll ein Mann, der jede Frau haben und sich alles kaufen kann, schon wissen, was Treue und wahre Liebe ist?

Diese Geschichte spielt auf der schönen Insel Poel, direkt an der Ostsee.

Prolog

Er schiebt seine Finger zwischen meine, erst eine Hand, dann die zweite, bis ich seine Fingernägel fest auf meinen Handrücken spüre.

Seine Lippen umschließen meine mit einer Entschlossenheit, die mich gleichermaßen anzieht und überwältigt, als ich mich rücklings in den warmen Sand fallen lasse.

In meinem Nacken nehme ich das Kitzeln des abgebrochenen Schilfs wahr, doch meine Sehnsucht, mit ihm genau jetzt, genau hier den Rest der Welt auszublenden, ist stärker als alles, was uns auch nur für den Bruchteil einer Sekunde ablenken könnte.

Das Rauschen der Wellen, die den Sand in weichen Zügen zu streicheln scheinen, verschwimmt zu dem Geräusch eines Traumes. Ja, es muss ein Traum sein, eine andere Erklärung gibt es nicht. Wie sonst lässt es sich erklären, dass ausgerechnet ich all meine Hemmungen fallen lasse? Ich, die sonst immer alles unter Kontrolle hat? Das kann unmöglich Realität sein.

Unser Atem wird schneller, fast so, als wäre sein Atem meiner und umgekehrt. Trotz der Hitze überkommt mich eine Gänsehaut, während er das rotweiße Sommerkleid sanft an meinen Beinen hochschiebt.

Ich spüre seine kräftige Hand an der Innenseite meines Schenkels, seine Lippen und den Ansatz seiner Zunge an meinem Hals – und alles, was ich mich fragen kann, ist, wie stark ein Gefühl sein muss, dass es jede Vernunft, jedes Vorhaben wie eine Seifenblase zerplatzen lässt?

Sind das wirklich meine Hände, die gerade dabei sind, seine Hose aufzuknöpfen?

Doch meine Gedanken lösen sich mit jedem Kuss und jeder Berührung mehr und mehr in Luft auf.

Ja, dieser Teil des Strandes ist tatsächlich verlassen, damit hat er Recht behalten. Doch viel unglaublicher ist die Tatsache, dass es mir mit jeder Sekunde unwichtiger wird, ob uns tatsächlich jemand hier sehen könnte.

Alles ist egal. Alles. Solange ich nur weiß, dass ich bei ihm bin.

Kapitel 1

„Wann bist du zu Hause, Kind?"

„Papa, das ist mein Haus – und du bist mein Gast." Ich ziehe meine Lederjacke von der Garderobe. „Außerdem bin ich 26 Jahre alt und kein Kind."

„Aber ich frage doch nur, weil ich uns etwas Schönes zum Mittag kochen wollte. Schmorkohl vielleicht? Den magst du doch so gern." Da ist er wieder, dieser Lämmchen-Blick, mit dem es ihm immer wieder gelingt, mir ein schlechtes Gewissen einzureden.

„Ich treffe mich mit meiner Grafikdesignerin, Papa. Das habe ich dir doch erzählt." Seufzend lasse ich die Arme sinken. „Ich weiß noch nicht, wann ich wieder da sein werde. Aber ich kann uns was von unterwegs mitbringen. Hast du Lust auf Chinesisch?"

„Ach, lass mal." Er schiebt die Hände beleidigt in die Taschen seiner weiten Cordhose. „Ich mache mir irgendwas Kleines. Ein Butterbrot vielleicht."

Mein Vater, wie er leibt und lebt. Melodramatisch wie der Hauptdarsteller einer Daily Soap. Eine Eigenschaft, die sich seit der Trennung von Mama sogar noch verstärkt hat.

„Ach, Papa." Ich ziehe meine Handtasche vom Garderobenhaken. „Du hast doch selbst gesagt, dass ich alles so machen soll wie bisher. Das war erst vor einer Woche. Du erinnerst dich?"

Er schaut mich so ahnungslos an, als wäre er das Kind und ich der Vater.

„Du hast gesagt, dass du nur vorübergehend bei mir unterkommen willst, bis das mit Mama wieder im Reinen ist. Und dass ich mich genauso verhalten soll, als wärst du gar nicht da. Egal, ob es nun meine Freunde betrifft, meinen Job oder meine Termine."

„Wenn ich dir zur Last falle, dann ..."

„Nein, Papa. Das ist es nicht." Ich greife nach seinen Händen. „Ich treffe mich einfach nur mit der Grafikerin wegen des neuen Buchcovers. Das ist wichtig, okay?"

„Buchcover", wiederholt er, als hätte ich gerade in einer fremden Sprache mit ihm gesprochen.

„Und das hat überhaupt nichts damit zu

tun, dass du mir zu Last fällst, sondern einfach nur mit den Vorbereitungen für das nächste Buch. Das ist mein Job, Papa. Auch wenn es dir noch immer schwerfällt, dir vorzustellen, dass man auch von zu Hause aus seinen Lebensunterhalt verdienen kann."

Seitdem er bei mir wohnt, komme ich mir vor wie eine Platte mit Sprung. Ständig muss ich ihm erklären, was er nicht persönlich nehmen darf und warum ich hier oder dorthin muss. Wenn er mir wegen der Sache mit Mama nicht so leidtäte, hätte ich sicher nur halb so viel Geduld.

„Mach dir keine Sorgen, Felinchen." Er legt seine Hände auf meine Schultern. „Dein alter Herr kommt schon zurecht. Mach du nur mal schön dein Buchdingsbums und ich kümmere mich ein bisschen um den Haushalt."

Buchdingsbums. Typisch Papa.

„Den Haushalt?" Ich bin erstaunt. „Aber das musst du nicht. Ich habe gestern erst gesaugt und der Geschirrspüler ist auch ausgeräumt."

„Aber ich kann doch deine Wäsche machen."

„Nein, Papa", fahre ich ihm schnell ins Wort. „Das musst du wirklich nicht."

Meine Gedanken wandern zu den roten Dessous, die ich gerade heute früh in den Wäschekorb geworfen habe.

„Und was soll ich sonst tun?"

„Ruh dich einfach aus. Genieße deine Freizeit. Ich dachte, du freust dich, mal ein bisschen Urlaub zu haben. Du schimpfst doch sonst immer so über den Stress im Büro."

„Nach Urlaub habe ich mich nur gesehnt, als deine Mutter und ich noch eine Einheit waren."

Eine Einheit. Das ist sein neuer Schlachtruf: *Als deine Mutter und ich noch eine Einheit waren.* Als wäre er der Osten, sie der Westen und die Mauer anlässlich ihrer Trennung wieder hochgezogen worden.

„Was auch immer du tust", ich küsse seine Wange, „du wirst es ohne mich tun müssen. Ich muss jetzt nämlich los."

Er bemüht sich um sein tapferstes Lächeln. „Wir sehen uns nachher, Felinchen. Amüsier dich gut."

„Ich gehe auf keine Party, Papa. Ich arbeite."

„Was auch immer."

Typisch Papa. Er hat bis heute nicht

verstanden, dass ich auch nach meiner Kündigung im Steuerbüro vor drei Jahren nach wie vor einem Job nachgehe. Dass ich heute sogar mehr als früher arbeite.

Ich mustere mich ein letztes Mal im Garderobenspiegel. Die bernsteinfarbenen Locken sind heute besonders widerspenstig, sodass ich sie kurzerhand mit einem Haargummi zusammenbinde. Im Spiegel hinter mir sehe ich meinen Vater, wie er mich mit einem Hauch von Wehmut im Blick betrachtet. Ein Mann in den besten Jahren, gerade mal Mitte fünfzig, dessen Augen seit dem Auszug bei Mama jedoch um Jahre gealtert sind. Der aschblonde Haaransatz, der einer höher werdenden Stirn gewichen ist. Die schmalen Schultern, die noch vor wenigen Wochen um einiges breiter waren.

Seufzend drehe ich mich zu ihm um.

„Also dann." Ich öffne die Tür und werfe ihm ein letztes Lächeln zu. „Ich wünsche dir einen schönen Vormittag."

Kapitel 2

Ich habe in meinem Leben schon ganze Tage damit verbracht, stumm auf dem Steg des Kirchdorfer Hafens zu verbringen und dem Wasser beim Plätschern gegen den Steg zuzuhören.

Damals, mit gerade mal vierzehn, war es die beste Medizin gegen Liebeskummer oder Stress mit meinen Eltern – und gleichzeitig mein Lieblingsort auf der ganzen Insel Poel. Dass ich selbst heute noch auf der Insel lebe, wenn auch nicht mehr im Haus meiner Eltern, hat auch viel mit genau diesem Ort zu tun. Hier, wo die Idylle jeden Kummer zu heilen weiß. Hier, wo das Meer eine Antwort auf jede Frage hat.

Genau diese Erinnerungen gehen mir durch den Kopf, als ich meine Kaffeetasse mit beiden Händen umschließe und meinen Blick durch das Café-Fenster hinaus auf das sommerliche Treiben am Hafen wandern lasse. Die aus Wismar kommenden Fahrgastschiffe und die alten Fischkutter. Die Hand in Hand spazierenden Touristenpärchen. Das Lachen der Fischer über dieselben alten Witze.

Doch als sich die Schwingtür öffnet und eine kurzhaarige Brünette mit strahlendem Lächeln das Café betritt, reißen meine Gedanken mit einem Schlag ab: Marina ist da. Und wie immer richten sich alle Blicke sofort auf sie.

Nicht, weil sie übermäßig attraktiv oder atemberaubend sexy ist. Nein, Marina wäre auf den ersten Blick betrachtet vermutlich eher eine Durchschnittsfrau. Größe 42, recht kurz gewachsen, unspektakuläre Frisur. Das entscheidende Detail, das jede Person in ihrer Umgebung aufmerksam werden lässt, ist ihr Lächeln.

Wann immer sie einen Raum betritt, ist es da. So warm und mitreißend, so interessant und liebenswert.

Ja, das ist Marina. Und ich freue mich auch an diesem Vormittag, dass ich diejenige bin, die mit diesem Lächeln an einem Tisch sitzen darf.

„Gut siehst du aus!", stellt sie fest, als sie an meinen Tisch kommt und ihre Hand auf meine legt. Das ist ihre Art, mich zu begrüßen. Die Berührung zweier Hände. Fast schon symbolisch, aber typisch für jede unserer Begegnungen.

„Du auch." Ich zwinkere ihr zu, während ich in einen verschwörerischen Flüsterton übergehe. „Und um dir das zu beweisen, kann ich dir auch sofort zwei Typen in diesem Café zeigen, deren Blicke noch immer an dir kleben."

„Du weißt, dass mich niemand interessiert außer ..."

„Ja ja, dein Tony. Ich weiß. Trotzdem kann es nie schaden, sich der Blicke anderer bewusst zu sein."

„Ach papperlapapp." Sie setzt sich mit einer herunterspielenden Handbewegung. „Jeder muss doch irgendwo hinschauen, das sollte man niemals überbewerten."

Ihre Bodenständigkeit beeindruckt mich immer wieder aufs Neue.

„Und nun erzähl schon", wechselt sie blitzschnell das Thema, „was sind das für tolle Ideen, die du gestern am Telefon erwähnt hast?"

„Naja, toll werden sie erst, wenn du sie umgesetzt hast. Aber da habe ich eigentlich keine Zweifel."

„Sei vorsichtig mit deinen Vorschusslorbeeren, Herzchen." Marina nimmt einen Schluck von ihrem Milchkaffee, den ich direkt bei meiner Ankunft für sie bestellt habe.

„Hast du mich denn jemals enttäuscht?" Ich kichere.

Sie beugt sich über den Tisch und betrachtet mich voller Erwartung. „Also? Was hast du geplant?"

„Eigentlich wollte ich dieses Mal ja einen anderen Titelhelden als einen Millionär."

„Eigentlich?"

„Ich habe die Idee neulich nur mal ganz kurz auf Facebook fallen lassen, da haben mich gleich so viele empörte Lesermails erreicht, dass ich den Plan gleich wieder verworfen habe."

„Ich verstehe nicht, warum du überhaupt etwas an deinem Erfolgsrezept ändern willst?"

„Na ja, hin und wieder hat man auch mal Lust auf Abwechslung."

„Aber deine Romane sind doch unterschiedlich. Dass die Liebe der gemeinsame Nenner ist, gehört nun mal in deinem Genre dazu, aber sonst? Ich wüsste echt nicht, was du ändern solltest. Nur weil hier und da mal eine Autorenkollegin über Millionär-Romane ablästert? Ich meine, da stehst du doch drüber, oder? Viel wichtiger ist doch, was deine Leser von dir erwarten."

„Sicher ist das wichtig, aber ...", ich halte kurz inne, „darum geht es ja auch gar nicht. Ich habe die Idee sowieso schon wieder verworfen."

„Worum geht es dann?"

„Ich habe mich gefragt, was du davon hältst, wenn wir das Cover dieses Mal etwas ... na ja ... gewagter gestalten."

„Gewagter?"

„Etwas mehr Haut, meine ich. Mutiger, leidenschaftlicher. Intimer. Aber ohne, dass das Niveau sinkt, wenn du weißt, was ich meine."

Ihr Blick wandert in die Ferne. Ich kann förmlich sehen, wie die Bilder in ihrem Kopf Gestalt annehmen.

„Klar ist das machbar", antwortet sie schließlich. „Ich sage dir ja ohnehin schon die ganze Zeit, dass diese Bussi-Bussi-Cover viel zu brav sind."

„Ich weiß, ich weiß. Aber sie waren bisher auch so was wie ein Erkennungsmerkmal für meine Bücher. Und ich hatte Angst, dass die Leser enttäuscht sein könnten, wenn ich einen neuen Weg einschlage."

„Nicht, wenn *ich* das Cover gestalte, Liebes. Du weißt, ich würde es nicht zulassen, dass auch nur ein einziges deiner Titelbilder eine Enttäuschung wird."

„Ich weiß." Lachend lege ich meine Hand auf ihre. „Ich hatte gehofft, dass du etwas in der Art sagen würdest. Moment", ich ziehe mein Handy aus meiner Tasche, „ich habe schon ein paar Fotos in der Datenbank ausgesucht, die ich dir zeigen wollte. Vielleicht kannst du ja eins davon nutzen."

Gerade als ich den Browser öffnen will, entdecke ich den kleinen Umschlag auf dem Bildschirm.

„Oh nein", entfährt es mir aufgebracht.

„Was ist los?"

„Ich glaub's einfach nicht!"

„Nun mach's doch nicht so spannend, Felina!" Marina rutscht nervös auf ihrem Stuhl umher. „Was ist passiert?"

„Dieser Mistkerl hat es schon wieder getan."

„Wovon sprichst du?"

„Na, der Typ, von dem ich dir erzählt habe. Der Rezensions-Macho."

„Der Kerl, der ständig deine Bücher schlecht bewertet?"

„Nicht nur einfach schlecht bewertet, er wartet förmlich auf jede Neuerscheinung, um sie dann mit einer Extraportion Klugscheißerei runterzumachen."

„Ich verstehe nicht, warum du ihm nicht einfach mal Kontra gibst? Schreib doch endlich mal einen Kommentar unter seine Rezension. Das hättest du schon längst tun sollen."

„Ich habe dir doch erklärt, warum das keine gute Idee ist. Autoren, die über schlechte Rezensionen schimpfen, sagt man schnell nach, dass sie kritikunfähig sind. Und mein Kommentar ist schließlich für alle einsehbar."

„Es sagt ja auch niemand, dass du öffentlich die beleidigte Leberwurst spielen sollst. Biete ihm auf subtile Weise die Stirn. Mit Niveau. Du bist Autorin, das muss doch zu schaffen sein."

„Damit zeige ich ihm doch nur, wie sehr ich mich ärgere. Schon allein deshalb, weil ich Bücherbewertungen sonst nie öffentlich kommentiere."

Seufzend senke ich den Blick erneut aufs Handy.

Nein, Felina, du liest diese Rezension nicht. Das regt dich nur noch mehr auf.

„Was hat er denn geschrieben?", fragt Marina, während sie über den Rand meines Handys schielt.

Wortlos reiche ich ihr das Telefon und lasse mein Gesicht in die Hände fallen.

Marina beginnt leise zu lesen. „Wieder einmal hat Felina Merineit bewiesen, dass sie es wie keine andere versteht, über Dinge zu schreiben, von denen sie nicht den blassesten Schimmer hat. In diesem Werk, das sich voller Selbstbewusstsein *Roman* nennt, hat sie einen Mann von gerade mal Mitte dreißig zum Milliardär gemacht." Marina wirft mir einen mitfühlenden Blick zu und liest weiter. „Ein paar erfolgreiche Filme, in denen er als Autor mitwirkt, dann wird er plötzlich Produzent – und schwuppdiwupp, ist er auch schon Milliardär."

„Aber er schildert das vollkommen falsch. Von wegen schwuppdiwupp. Wenn hier jemand keinen Schimmer von etwas hat, dann ist es dieser Idiot."

„Ganz ruhig, Felina. Ich bin's, Marina. Er ist nicht hier. Er kann dich nicht hören."

Seufzend lasse ich die Schultern sinken, während sie weiterliest. „Die Millionäre in ihren Vorgängerbüchern waren der Autorin scheinbar nicht mehr unrealistisch genug, dieses Mal musste es sogar ein Milliardär sein. Doch damit nicht genug: Die Art, wie sie diese eigentlich bodenständige Frau dazu bringt, sich Hals über Kopf in diesen stinkreichen Typen zu verlieben und den Lesern dann auch noch einreden will, dass es ihr einzig und allein aufs Innere dieses Mannes ankommt und nicht auf sein Bankkonto – das ist nicht nur dreist, sondern auch noch himmelschreiend albern."

Wütend nehme ich einen Schluck von meinem Kaffee. Wenn ich mir nur lange genug einrede, dass es ein hochprozentiger Schnaps ist, wirkt er vielleicht gegen meine innere Aufregung.

„Und wenn schon!" Marina zuckt mit den Schultern. „Er hat dein Buch schlecht bewertet. Was soll's? Dafür hast du doch so viele gute Rezensionen."

„Es geht mir nicht um die schlechte Rezension, das weißt du. Nicht jedem kann mein Buch gefallen. Es regt mich nur auf, dass jemand, der eigentlich gar nicht zur Zielgruppe gehört, jedes Mal aufs Neue meine Bücher runtermacht. Dieses Mal hat es nur einen Tag gedauert, bis er sich zu Wort gemeldet hat. Ich meine, wenn er meine Bücher so schrecklich findet, warum liest er sie immer und immer wieder? Das ist doch schon Schikane."

„Die wie viele Rezension von ihm ist es?"

„Die siebte."

„Also, wenn du mich fragst, ist das der perfekte Anlass, ihm endlich mal einen netten Kommentar zu schreiben. Findest du nicht?"

Ich hänge mich erneut an meine Kaffeetasse, als wäre ihr Inhalt mein Überlebenselixier.

„Ich glaube, ich würde jetzt lieber über Buchcover reden", antworte ich ernüchtert.

Marina zwinkert mir zu. „Dein Blick sagt aber etwas anderes."

Kapitel 3

Die Zeilen vor mir verschwimmen langsam, so oft habe ich sie mittlerweile gelesen. Warum nur schafft es dieser Kerl immer wieder, mich derart wütend zu machen? Wie gelingt es ihm, dass ich seinen Worten überhaupt wieder und wieder Beachtung schenke? Ich kenne ihn doch gar nicht. Und wer weiß, vielleicht ist es ja nicht mal ein Kerl, „Elian R." könnte ja auch das Pseudonym einer gelangweilten Hausfrau aus der Nachbarschaft sein, die mir meinen Erfolg nicht gönnt.

Schlechte Rezensionen sind doch nur halb so schlimm. Warum stören mich ausgerechnet seine?

Ich lehne mich in meinem Ledersessel zurück und schaue durch das kleine Dachfenster über meinem Schreibtisch in Richtung Wasser. Von hier oben sieht das Meer wie ein blasser silberner Streifen hinter den goldenen Weizenfeldern aus. Magisch und unberührt.

Das Klopfen an der Tür holt mich aus

meinen Gedanken.

„Felinchen." Mein Vater schaut durch den Türspalt. „Zu Mittag habe ich schon allein gegessen, da wirst du mir doch wenigstens bei einem Stückchen Streuselkuchen Gesellschaft leisten, oder?"

Wie er so dasteht, die Hände in den tiefen Taschen seiner unförmigen Hose, mit einem Dackelblick, der mir grundsätzlich ein unerklärlich schlechtes Gewissen beschert, vergesse ich wieder mal für einen Moment, dass er der Vater ist und ich das Kind.

„Ich komme gleich, ja? Muss nur noch schnell was fertig schreiben."

„Ich setz schon mal Kaffee auf."

„Kaffee wäre prima."

Als er die Tür schließt, weiß ich plötzlich, was zu tun ist. Eine andere Option gibt es nicht, wenn ich endlich wieder auf andere Gedanken kommen möchte.

Mit einem tiefen Atemzug beginne ich schließlich zu schreiben.

Lieber Elian,

seit geraumer Zeit beobachte ich nun

schon die Rezensionen, die du bei meinen Büchern hinterlässt.

Am Anfang waren es nur gewöhnliche kritische Rezensionen, wie man sie nun mal hin und wieder erhält. Kritik gehört einfach dazu und als Autor muss man lernen, damit zu leben. Aber jetzt, wo du bereits zum siebten Mal hintereinander eines meiner Bücher rezensiert hast, gibt es eine Frage, nur eine einzige, die ich dir gern stellen möchte: Wenn meine Bücher so unglaubwürdig, unrealistisch und schlecht sind, wie kommt es dann, dass du jedes einzelne davon immer wieder liest und schon wenige Stunden nach der Veröffentlichung öffentlich niedermachst?

Vielleicht hast du ja Lust, mir diese brennende Frage in einem Kommentar zu beantworten? Ich selbst konnte bisher nämlich keine schlüssige Antwort darauf finden.

Bevor ich die Zeilen ein weiteres Mal lesen kann, klicke ich auf „Abschicken".

Mit zufriedenem Grinsen verschränke ich die Hände hinter meinem Nacken und lasse meinen Blick erneut in die Ferne wandern.

Was sagte Marina? *Biete ihm auf subtile Weise die Stirn!*

Da hast du meine Stirn, du Spinner!

*

„Und ich dachte, mein Hosenanzug beim Abschlussball war peinlich. Aber das hier toppt alles."

„Du siehst super aus", flüstert mir Marina zu, während sie auf dem Stuhl hinter mir Platz nimmt. „Der schwarze Rock sieht echt heiß an dir aus."

„Ich meine nicht mein Outfit. Ich meine", ich mache eine kreisende Bewegung mit meinem Zeigefinger, *„das hier."*

„Das hier? Ich verstehe nicht, was du meinst, Süße. Ist doch eine super Sache. Deine eigene Signierstunde."

„Falls es dir nicht aufgefallen ist, wir sitzen in einem Supermarkt, Marina. Direkt neben der Groschenroman-Grabbelbox."

„Na und?" Sie zuckt mit den Schultern.

„Die Leute werden trotzdem kommen. Oder gerade deshalb. Den Wochenendeinkauf mit einem Autogramm von Felina Merineit verbinden, ist doch eine nette Abwechslung."

„Ich hoffe nur, dass nicht nur welche kommen, die zufällig hier sind, sondern auch echte Leserinnen." Ich ziehe die Kappe von meinem Signierstift. „Und wenn niemand kommt? Nicht mal Zufallsbesucher?"

„Klar kommen welche. Es wird super werden. Wirst schon sehen."

Ich bin dankbar für Marinas Anwesenheit, mit ihr ist alles nur noch halb so schlimm. Dass aus der Annonce einer Grafikdesignerin, die ich vor zwei Jahren eher durch Zufall entdeckte, nicht nur eine tolle Zusammenarbeit, sondern mittlerweile eine echte Freundschaft geworden ist, ist ein netter Beigeschmack des Autorinnendaseins.

Mein Blick wandert zu dem Stapel der Exemplare meines letzten Romans „Milliardäre küssen keine Nannys". Wieder fällt mir die Rezension von diesem Elian zu genau diesem Buch ein – und meine Antwort darauf. Zwei Tage ist es mittlerweile her. Ob er meinen Kommentar nicht gesehen hat? Er müsste doch eine Benachrichtigungs-Mail bekommen haben.

„Alles okay?" Marina legt ihre Hand von hinten auf meine Schulter.

„Sicher."

„Du wirkst zerstreut."

Doch ehe ich ihr antworten kann, fällt mein Blick auf die Menschenmenge, die durch den gerade geöffneten Eingang hineindrängt.

„Verrückt, wie viele Leute schon so früh einkaufen gehen", sage ich. „Es ist gerade mal acht."

„Vielleicht sind sie ja auch alle wegen dir da."

„Sehr witzig."

Doch als die Leute mit ihren Einkaufswagen und Tragebeuteln den Hauptgang entlangschlendern, steuern tatsächlich einige von ihnen direkt auf den Signierstand zu.

„Siehst du?", flüstert mir Marina zu. „Was habe ich gesagt?"

Erleichtert ziehe ich das erste Buch vom Stapel und schaue auch schon in das erste Gesicht einer niedlichen jungen Frau mit Stupsnase und blondem Pferdeschwanz.

„Halloooo", flötet sie. „Sind Sie echt Felina?"

Ihre Euphorie bringt mich zum Lächeln. „Die bin ich. Aber du kannst ruhig Du sagen, sonst komme ich mir so alt vor und ich glaube nicht, dass ich so viel älter als du bin."

„Ich bin gerade zwanzig geworden", antwortet sie stolz. „Und ich habe jedes deiner Bücher gelesen."

„Tatsächlich?" Instinktiv reiche ich ihr die Hand. „Das freut mich zu hören. Wie heißt du, meine Liebe?"

„Anita." Sie grinst wie ein Honigkuchenpferd. „Aber jeder nennt mich Ani."

Ich klappe das erste Buch auf. „Soll ich dann Ani in die Widmung schreiben?"

Ihr Pferdeschwanz wippt auf und ab, während sie fröhlich nickt.

Im Augenwinkel nehme ich Marinas Grinsen wahr, während sich eine Schlange hinter Ani bildet. Vielleicht war meine Angst, die Signierstunde könnte ein Flop werden, tatsächlich unbegründet.

Und schon nach wenigen Minuten rutsche ich wie von selbst in meine Signierroutine, wie ich sie bisher nur in Buchhandlungen ausgelebt habe. Freundliches Lächeln, nette Gespräche – verrückt, wie schnell so ein Ereignis zum Selbstläufer wird. Und immer wieder überkommt mich dieselbe Frage: Sind diese Menschen wirklich nur wegen mir gekommen? Die Platzierung auf den Bestsellerlisten spricht eine eigene Sprache, aber wenn all die Leute wirklich leibhaftig vor einem stehen, beginnt immer wieder eine ganz eigene Realität.

„Es freut mich sehr, Sie einmal kennenzulernen", begrüßt mich plötzlich die Stimme einer jungen Frau, vielleicht zwei, drei Jahre jünger als ich.

Als ich aufschaue, fällt mein Blick in das Gesicht einer dunkelhaarigen Schönheit mit einem seitlich geflochtenen Zopf, der ihr wie gemalt auf die schlanke Schulter fällt.

„Mich freut es auch. Aber nenn mich bitte Felina." Ich klappe das Buch auf. „Was darf ich denn für dich reinschreiben?"

„Natascha, bitte."

Gerade als ich meinen Stift aufsetze, fährt sie mit der Hand dazwischen. „Nein, warte."

Irritiert schaue ich auf. „Möchtest du es

lieber ohne Widmung?"

„Ja ... ähm, ich meine, nein ... ich habe mich nur gerade gefragt, ob du vielleicht auch eines für meine Mutter signieren könntest. Sie heißt Hanna."

„Natürlich."

Wieder fährt ihre Hand vor meinen Stift. „Oder warte, schreib nicht Hanna, sondern *Für die beste Mutter der Welt*. Geht das? Sie hat bald Geburtstag, weißt du? Das wäre ein prima Geschenk."

„Tascha", höre ich eine genervte männliche Stimme hinter ihr.

„Was denn?", giftet sie leise.

„Du hältst schon den ganzen Betrieb auf", brummt er. „Die anderen Leute wollen auch noch ein Buch."

Sie ignoriert seinen Einspruch und wendet sich wieder mir zu. „Und kannst du vielleicht auch eins für meine Freundin Bettina unterschreiben?"

„Aber sicher kann ich das." Ihre Euphorie bringt mich zum Grinsen. „Eins nach dem anderen." Ich reiche ihr das Buch für ihre Mutter und greife nach dem nächsten. „Soll ich jetzt erst mal das für dich machen oder kommen noch mehr dazu?"

„Ähm, warte, ich muss kurz nachdenken."

Wieder erhebt die männliche Stimme hinter ihr Einspruch.

„Elian!", faucht sie plötzlich.

Elian? Hat sie gerade Elian gesagt? Das kann doch kein Zufall sein.

Als sie sich zu ihm umdreht, gibt sie für einen kurzen Moment den Blick auf einen Mann frei, dessen blaugraue Augen sein komplettes Umfeld regelrecht zu durchleuchten scheinen. Strahlende, durchdringende Augen, die wie ein Kontrast zum dunklen, weichen Haar wirken.

Er ist vielleicht Ende zwanzig, die breiten Schultern sind unter einem dunkelblauen Sakko versteckt, während der Ansatz seiner sportlichen Brust unter einem hellgrauen Shirt zum Vorschein kommt. Der Dreitagebart macht die Lässigkeit perfekt.

Mit offenem Mund starre ich ihn an, als wäre er eine Erscheinung aus einer anderen Welt.

Elian. Das ist doch wirklich kein Name, der allzu häufig vorkommt, oder?

Andererseits, warum sollte ausgerechnet der Typ, der jedes meiner Bücher schlecht bewertet, auf einer meiner Signierstunden auftauchen?

„Hallo?" Natascha schaut mich irritiert an. Erst jetzt merke ich, dass ich ihre letzten Worte nicht gehört habe.

„Ähm ... Entschuldigung", stammele ich. „Was hast du gesagt?"

Ich schaue auf und sehe, wie der Mann, der eben noch hinter ihr stand, neben sie rückt und mich mit eindringlichem Blick mustert.

„Elian", sagt er in entschlossenem Tonfall, ohne den Blick von mir abzuwenden. „Schreib bitte Elian."

Kapitel 4

„Moment mal", Marina zieht mich in den Seitengang, „willst du mir etwa sagen, dass dieser Rezensionstyp hier war? Hier auf deiner Signierstunde?"

„Ich habe keine Ahnung, ob er es war. Er hieß jedenfalls Elian und war mit dieser jungen Frau dort, die gleich mehrere Bücher signieren ließ. Du warst doch auch da, hast du denn gar nichts mitbekommen?"

„Nein, meine Liebe, *du* hast nichts mitbekommen. Sonst wüsstest du nämlich, dass ich mit dem Marktleiter noch zum Auto gegangen bin, um Büchernachschub zu holen."

Sie hat recht. In Gegenwart dieses fremden Mannes habe ich scheinbar wirklich den Rest der Welt ausgeblendet.

Ich lehne mich gegen das Regal mit den Spielzeugautos.

„Aber was hat er gesagt?", hakt Marina nach. „Irgendetwas muss er doch gesagt haben."

„Na ja, nur, dass ich auch ein Exemplar für

Elian signieren soll – und dann hat wieder die junge Frau weitere Bücher zum Signieren in Auftrag gegeben, so dass ich zu abgelenkt war."

„Heißt das, du hast ihn nicht gefragt, ob er *der* Elian ist?"

„Nein, ich … ich wusste nicht, wie. Außerdem waren da ja noch so viele andere, die ein Autogramm wollten. Die hatten wegen dieser Natascha schon viel zu lange gewartet."

„Du bist doch sonst um keinen Spruch verlegen. Du hättest ihn doch wenigstens fragen können", Marina überlegt, „was er so in seiner Freizeit macht. Segeln zum Beispiel. Oder Boxen. Oder miese Buchrezensionen für Werke aufstrebender Jungautorinnen schreiben."

„Ach, ich hätte mich doch nur vor all den anderen blamiert. Sicher war es gar nicht derselbe Kerl."

„Ja genau, weil der Name Elian ja auch so oft vorkommt und die Wahrscheinlichkeit unheimlich groß ist, dass er ausgerechnet zu deiner Signierstunde kommt und trotzdem ein anderer Elian ist."

„Welche Rolle spielt es schon? Die Signierstunde ist vorbei. Er ist weg – und geändert hätte es auch nichts."

„Du hättest ihn zumindest fragen können, ob er deinen Kommentar gelesen hat und dir live und in Farbe eine Antwort darauf geben möchte."

Ich schaue herüber zu dem Tisch, der vor wenigen Minuten noch das Zentrum regsamen Leser-Autorenaustausches war und gerade von zwei gelangweilten Supermarkt-Azubis weggetragen wird.

„Lass uns nicht mehr drüber reden", sage ich schließlich. „Ich will nur noch kurz zum Bäcker vorne. Mein Vater hat gefragt, ob ich Brötchen mitbringe. Dann können wir auch schon los."

„Das heißt, dein Vater wohnt immer noch bei dir?"

Wir gehen nebeneinander in Richtung Foyer.

„Ja. Seit über einer Woche inzwischen."

„Und du kommst damit klar? Ich meine, mit Mitte zwanzig ist der eigene Vater nicht unbedingt der bequemste Mitbewohner."

„Klar nervt er manchmal mit seiner Überfürsorge, aber was soll ich machen? Mama hat ihm zwar angeboten, dass er im Gästezimmer bleiben kann, aber er wollte keinen Tag länger mit ihr unter einem Dach wohnen, solange sie ..."

„... solange sie sich noch mit diesem Kerl trifft."

Ich nicke schwermütig. „Sie sagt, dass er nur ein guter Freund ist und Papa da nichts hineininterpretieren soll. Und dass sie einfach nur ein wenig Zeit für sich braucht."

„Und das alles nur, weil dein Vater ihren Geburtstag vergessen hat?"

„Das war ja nur der Tropfen, der das Fass zum Überlaufen gebracht hat. Sie ist halt der Ansicht, dass er sich null für sie interessiert und in ihr nur das Hausmütterchen sieht, das sich um alles kümmert und keine eigenen Bedürfnisse hat. Deshalb will sie alles in Ruhe überdenken. Das mit ihrer Ehe und so."

„Und dieser andere Typ? Kennst du den?"

„Ich weiß nur, dass sie sich mit einem Mann angefreundet hat, der denselben Literaturkurs wie sie besucht. Ihre Standardantwort zu diesem Streitpunkt lautet, dass Papa sich einfach vorstellen soll, dass es sich um eine neue Freundin handelt und er die Tatsache, dass er ein Mann ist, einfach ausblenden soll."

„Ausblenden?" Marina lacht ungläubig. „Und wie siehst du die Sache?"

„Ach, weißt du, ich versuche, mich da nicht allzu sehr einzumischen. Am Anfang habe ich noch versucht zu vermitteln, aber nachdem ich gemerkt habe, wie ernst es Mama mit ihrem Selbstfindungstrip ist, habe ich entschieden, mich da rauszuhalten. Ist ja auch nicht so, dass ich nicht selbst genug um die Ohren habe."

„Klingt ja fast so, als wäre es dir egal."

„Es ist mir nicht egal. Ich bin nur ... na ja ... der Meinung, dass jeder für sein Leben selbst verantwortlich ist. Und wenn Mama wirklich was mit diesem anderen Typen haben sollte, dann kann ich Papas Wut natürlich verstehen."

„Und deine Mutter? Verstehst du sie?"

„Ach, weißt du, alles, was ich verstehe, ist ..." Ich verstumme, während ich wie erstarrt stehenbleibe.

Marina mustert mich irritiert von der Seite. „Was verstehst du?"

Doch ich bin unfähig, ihr zu antworten.

Nur wenige Meter vor dem Bäckerstand steht er. Mitten im Foyer. Allein. Und alles, was er tut, ist – mich anzustarren.

Hat er etwa auf mich gewartet? Und wo ist diese Natascha?

Nun hat auch Marina bemerkt, warum ich stehengeblieben bin. Sie schluckt. „Ist das etwa ...?"

Ich nicke wortlos.

„Hallo", ist alles, was er sagt.

Die wahre Botschaft liegt jedoch in seinen Augen.

Er betrachtet mich mit einem Blick, so wissend und durchleuchtend, dass man es schon fast als Belästigung betrachten könnte, wenn er nicht so unverschämt gut aussähe.

„Hallo", antworte ich verunsichert. „So schnell sieht man sich wieder."

Mit den Händen in den Taschen steht er vor mir, ohne einen Ton von sich zu geben. Keine Antwort, keine Reaktion.

„Ich ... ähm ... ich wollte gerade ein Brot holen", sage ich, weil mir nichts Besseres einfällt.

„Ein Brot holen?", flüstert mir Marina zu und pufft mir ihren Ellenbogen in die Hüfte. „Sind wir hier vielleicht bei Dirty Dancing? Fehlt nur noch die Wassermelone."

Von der Seite aus sehe ich kichernd

Natascha auf uns zukommen. „Hey Bruderherz", jubelt sie. „Das ist aber lieb von dir, dass du mir meine Lieblingsautorin eingefangen hast. Ist doch auch gleich viel persönlicher als auf einer überfüllten Signierstunde."

Seine Schwester also.

Sie strahlt mich an, als wäre ich ein Überraschungsei.

Ich versuche, meine Verunsicherung zu verbergen. „Ähm, Natascha, richtig?"

„Du erinnerst dich an meinen Namen! Das ist aber toll."

Dass ich mich besonders an den Namen ihres Bruders erinnere, behalte ich für mich.

„Freut mich, Natascha", Marina reicht ihr die Hand. „Ich bin Marina."

„Hallo", flötet Natascha fröhlich. „Bist du auch Autorin?"

„Ich bin Grafikdesignerin und gestalte unter anderem Felinas Buchcover."

„Echt? Hast du auch das Cover für das letzte Buch gemacht?"

„Ja." Marina nickt. „Aber heute bin ich nur als Freundin hier."

Während sich Natascha und Marina

unterhalten, wandert mein Blick erneut zu Elian. Auf seinen Lippen liegt der Ansatz eines Lächelns, das mich irgendwie nervös macht. Seine Augen sind nach wie vor auf mich gerichtet.

Wild entschlossen, endlich seinem Blick auszuweichen, greife ich nach Marinas Arm. „Mir ist gerade eingefallen, dass ich noch einen wichtigen Telefontermin habe."

„Aber du wolltest doch noch zum Bäcker?", entgegnet sie.

„Das erledige ich später."

Verwirrt folgt Marina meinem Drängen.

Natascha scheint enttäuscht. „Na dann, auf Wiedersehen", ruft sie mir nach.

„Ja", ich nicke ihr flüchtig zu, „hat mich gefreut, Natascha."

Doch schon nach wenigen Metern bleibe ich wieder stehen.

Was tue ich hier eigentlich? Bin das wirklich ich? Die selbstbewusste Autorin, die sonst immer die passende Antwort parat hat? Renne ich wirklich vor der vielleicht einzigen Chance davon, die Wahrheit über diesen Mann zu erfahren? Und das nur, weil mich die Entschlossenheit in seinem Blick so verwirrt hat? Wie lächerlich ist das denn?

Ich atme tief ein, dann drehe ich mich schließlich um.

„Bist du es?", frage ich ihn so laut, dass ein paar Leute aufschauen.

Elian betrachtet mich stumm, aber dennoch ohne jede Überraschung.

„Bist du Elian R.?", frage ich, während ich erneut auf ihn zugehe.

„Wir heißen Radloff", antwortet Natascha für ihn. „Woher weißt du das?"

Doch mein Blick ruht noch immer fest auf Elian.

„Ich glaube, Elian weiß genau, was ich meine", antworte ich.

Da ist es wieder, dieses wissende und doch undurchschaubare Lächeln auf seinen markanten Lippen. In seinen Augen kann ich sehen, dass er tatsächlich ganz genau weiß, wovon ich spreche.

„Elian?" Natascha pufft ihrem Bruder in die Hüfte. „Kannst du mich bitte mal aufklären, was das zu bedeuten hat? Kennt ihr euch etwa?"

„Sorry, Kleines", sagt er zu Natascha, „aber auch ich habe meine Geheimnisse."

Ich neige den Kopf zur Seite. „Hast du

meinen Kommentar gelesen?", frage ich ihn nun etwas direkter.

Wieder dasselbe geheimnisvolle Lächeln. Langsam fängt es an, mich zu nerven.

Marina zupft mich neugierig am Ärmel, doch ich wage es nicht, mich von ihm abzuwenden.

Als sein Schweigen anhält, werde ich langsam wütend. Nicht nur auf ihn, sondern auch auf meine Unfähigkeit, dass ich ihm noch immer nicht gesagt habe, was ich von seiner Feigheit halte.

„Also bist du doch einer von denen, die nur hinter dem Mantel der Anonymität eine große Klappe haben?", fauche ich schließlich.

Er seufzt.

„Tut mir leid, Felina", sagt er, als hätten wir schon tausende Gespräche wie dieses geführt.

„Was tut dir leid?", frage ich.

„Na ja, was mir im Einzelnen leidtut, würde ich dir ungern hier sagen", er tritt einen Schritt näher, als teilten wir ein Geheimnis, das niemand anderes hören darf, „aber ich würde mich freuen, wenn ich dir einige Dinge ... na ja ...

an einem anderen Ort und zu einem anderen Zeitpunkt erklären dürfte."

Er zieht eine Karte und einen Stift aus seiner Brusttasche. Auf die leere Seite kritzelt er den Namen eines Lokals.

„Es wäre schön, wenn du Zeit hättest", sagt er. „Morgen? Acht Uhr?"

„Moment mal, Elian", unterbricht ihn Natascha mit großen Augen, „arrangierst du hier etwa gerade ein Date mit Felina Merineit?"

Doch sowohl Elian als auch ich ignorieren ihre Frage.

Er reicht mir die Karte, was mich unweigerlich zum Lachen bringt.

„Du bist witzig", antworte ich, „glaubst du allen Ernstes, ich lasse mich auf eine Verabredung mit einem fremden Typen ein?"

Marina steht mit offenem Mund neben mir.

„Es ist kein Date", sagt er. „Es ist ein klärendes Gespräch unter Liebhabern des geschriebenen Wortes."

„Nenn es, wie du willst, aber ich habe Besseres zu tun, als mich mit selbstverliebten Machos zu treffen, die sich für so unwiderstehlich halten, dass sie nicht mal auf die Idee kommen, eine Frau könnte schon etwas anderes vorhaben."

„Wenn du morgen etwas vorhast", antwortet er ruhig, „wäre das sehr schade. Und ich würde mich freuen, wenn sich dafür ein anderer Termin finden ließe. Aber vielleicht hast du ja doch Lust, morgen vorbeizuschauen. Ich werde jedenfalls da sein."

Ich schaue zu Marina, deren Mund noch immer offensteht und zu Natascha, die ebenso sprachlos ist.

Dann schaue ich erneut in seine Augen, die mich noch immer durchleuchten, als wüssten sie mehr über mich, als mir lieb ist. Gibt es wirklich etwas, das er über mich weiß und nur nicht in dieser Umgebung preisgeben möchte? Oder ist das alles einfach nur eine etwas umständliche Anmache?

„Tut mir leid, ich muss jetzt los", antworte ich schließlich entschlossen. „Das hier ist mir einfach zu albern."

Wutentbrannt wende ich mich von ihm ab und stürme in Richtung Ausgang. Ich höre, wie Marina irgendetwas zu mir sagt, während sie mir hinterherläuft, doch ich bin viel zu durcheinander, um es zu hören, geschweige denn darauf zu reagieren.

Erst, als ich schon fast auf dem Parkplatz bin, merke ich, dass ich die Karte noch immer in der Hand halte. Die Karte eines gewissen Elian R.

Kapitel 5

Zwei schlaflose Nächte und ein aufwühlender Tag liegen hinter mir. Ganze zwei Absätze habe ich geschrieben, nicht mal zehn Prozent meines täglichen Pensums. Und warum? Weil ich einem Kerl, den ich nicht kenne, etwas zu tief in die Augen geschaut habe? Weil er etwas ausstrahlt, das ich nicht verstehen kann und das mich doch nicht loslässt? Oder weil es das erste Mal ist, dass ich mir eine Kritik zu meinen Büchern ernsthaft zu Herzen nehme, während es mir sonst immer gelingt, so etwas nicht zu persönlich zu nehmen?

Ich schiebe die Hände in die tiefen Taschen meiner Strickjacke, während ich den noch jungfräulichen Strand entlangschlendere.

Wie unberührt alles so früh am Morgen scheint. So idyllisch, fast wie ein Gemälde.

Der weiße Schaum des Wassers, der von den Wellen in den Sand gespült wird. Die salzige Luft und das wachsame Kreischen der Möwen. Alles hier schreit nach Leben. Und doch scheint der Rest der Welt noch zu schlafen. Eine Kombination, die ich besonders an einem Morgen wie diesem immer wieder suche.

Für gewöhnlich helfen Spaziergänge am Meer, um einen freien Kopf für das nächste Kapitel zu bekommen, heute jedoch scheint es rein gar nichts zu bringen.

Mit jedem Schritt, den ich mich dem schmalen Holzpfad nähere, der durch das Schilf zu meinem Haus führt, wächst das Chaos in meinem Kopf. Vielleicht sollte ich mich damit abfinden, dass ich heute keine vernünftige Zeile mehr zustande bringen werde und stattdessen einfach einen DVD-Marathon aller „Stolz und Vorurteil"-Versionen starten. Mein Vater ist seit Tagen das erste Mal wieder mit einem Freund unterwegs, Grund genug also, die sturmfreie Bude auszunutzen.

Meine Gedanken wandern erneut zu Elian. Ob er gestern Abend tatsächlich in diesem Restaurant auf mich gewartet hat? Für wie unwiderstehlich hält er sich eigentlich, dass er auch nur auf die Idee kommen konnte, ich würde mich einfach so auf seine Einladung einlassen?

Der vertraute Klang des Meeres wird von

meinem eigenen Herzschlag übertönt, als ich die Einfahrt meines Hauses betrete und meinen Augen kaum zu trauen wage.

Ist das wirklich möglich? In was für einem verrückten Traum befinde ich mich hier?

*

„Marina Baustian, Grafikdesign. Guten Tag?"

„Ich bin's, Süße."

„Oh sorry, hab nicht aufs Display geguckt. Bin gerade so vertieft in ..."

„Keine Einzelheiten, Marina, es ist ein Notfall."

„Hey, was ist denn los, Felina? Du klingst ja, als würdest du jeden Moment hyperventilieren."

„Ist gut möglich."

„Wo bist du?"

„Jetzt? Jetzt bin ich in der Küche. Genauer gesagt stehe ich an meinem Küchenfenster und schaue auf den Parkplatz vor meinem Haus. Und weißt du, was ich da sehe?"

„Du wirst es mir sicher jeden Augenblick erzählen.“

„Eine Limousine, Marina. Er hat mir eine Limousine geschickt!“

„Wer?“

„Mein Vater ... doofe Frage ... dieser Elian natürlich.“

„Dieser Elian Radloff? Der hat eine eigene Limousine? Ist der reich oder so?“

„Sieht ganz danach aus. Das dürfte zumindest erklären, warum er sich so gut mit dem Buchthema Millionäre auskennt.“

„Heißt das, du warst gestern doch auf dem Date und er lässt dich bereits am nächsten Tag von seinem Chauffeur abholen?“

„Nein, ich war nicht da. Das ist es ja gerade. Deutlicher konnte ich ihm doch nun wirklich nicht zu verstehen geben, dass ich kein Interesse an einem Candle-Light -Dinner habe. Und was tut dieser Mensch? Schickt mir schon am nächsten Morgen seinen Fahrer her, damit er mich für ein gemeinsames Frühstück zu ihm bringt. Geht es vielleicht noch unpersönlicher und abgehobener?“

„Hartnäckig ist er ja, das muss man ihm

lassen."

„Du weißt genau, dass ich mich nicht von Geld beeindrucken lasse. Alles, was ich brauche, verdiene ich selbst."

„Tja, *du* weißt das. Aber Männer mit Geld sind es halt gewohnt, dass Frauen leicht zu beeindrucken sind."

„Und genau das ist der Grund, warum ich keinen einzigen Fuß in diese protzige Karre setzen werde. Ich bin nicht so Eine. Da kann dieser Leichenwagen so lange draußen stehen, wie er will. Männer wie er wechseln Frauen wie Unterwäsche, das weiß doch jeder. Früher oder später wird jede ausgetauscht."

„Nicht in deinen Büchern."

„Meine Bücher sind aber leider nicht real, wie du weißt."

„Was hat der Fahrer denn überhaupt gesagt?"

„Na ja, nichts weiter. Nur ob ich Felina Merineit bin und ob er mich bitten dürfte, ihn zum Frühstück bei Herrn Elian Radloff zu bringen."

„Und was hast du gesagt?"

„Dass er sich irren muss. Woraufhin er gesagt hat, dass ich mich in Ruhe fertigmachen könne, er würde so lange draußen warten."

„Woher weiß dieser Elian überhaupt, wo du wohnst?"

„Keine Ahnung. Aber die Insel ist nicht sehr groß, kein Geheimnis bleibt hier lange verborgen. Und falls er auch in der Nähe wohnt, wird es nicht besonders schwer für ihn sein, so etwas herauszufinden."

„Ach ja? Wo wohnt er denn?"

„Ich weiß es nicht. Und es interessiert mich auch nicht."

„Also, das Einzige, was mich interessiert, ist, was du anziehst."

„Anziehen?"

„Na, zum Frühstück. Das wirst du dir doch wohl nicht entgehen lassen."

„Ich habe dir doch schon gesagt, dass ich keinen Fuß in diese Protzkarre setzen werde."

„Du hast auch gesagt, dass du dir niemals so einen sexistischen Kram wie *Two and a Half Men* anschauen würdest und am Ende konntest du jede Folge mitsprechen."

„Das ist etwas anderes."

„Ja ja ja ... sag schon, was ziehst du an?"

„ICH WERDE NICHT IN DIESE

LIMOUSINE STEIGEN!"

„Ach, komm schon, Felina. Wir wissen beide, dass du mich nie so aufgebracht angerufen hättest, wenn du dir so sicher wärst, was du tun sollst. Tief in dir drin platzt du vor Neugier, was dich am Ende dieser Fahrt erwarten wird."

„Ich habe dich angerufen, weil ich nicht fassen kann, wie dreist dieser Typ ist."

„Also, ich kann es auch nicht fassen. Und weißt du, was ich nicht fassen kann? Wie verteufelt gut dieser Kerl aussieht. Ich wette, so unter vier Augen beim romantischen Frühstück auf seiner Terrasse ist er noch viel umwerfender. Meinst du nicht auch?"

„Ich habe eine eigene Terrasse, Marina. Ich brauche keinen Mann, der ..."

„Ja ja, ich hab's verstanden. Du brauchst keinen Mann, der dich beeindruckt. Was aber irgendwie schade ist. Ich meine, wenn nichts mehr übrig ist, mit dem man beeindruckt werden kann. Was muss das für ein langweiliges Leben sein?"

„Ich kenne ihn doch überhaupt nicht."

„Weil es ja auch so schwer ist, sich bei einem romantischen Frühstück kennenzulernen. Außerdem ist er dir ja immer noch eine Erklärung schuldig, warum er so von deinen Büchern besessen ist. Du willst mir doch wohl nicht weismachen, dass du kein bisschen neugierig bist, was er dir zu sagen hat? Außerdem, selbst wenn du kein Interesse an diesem Typen hast, wäre es zumindest eine ausgezeichnete Gelegenheit, ihm mal gehörig die Meinung zu geigen."

„Nicht zu fassen. Der Typ steht immer noch vor der Tür. Was ihm Elian wohl gesagt hat? *Warte so lang, bis sie endlich weich wird?*"

„Also, wenn du mich fragst, ist das die perfekte Gelegenheit, um noch einmal über das Outfit-Thema zu sprechen. Ich finde ja, dass deine weiße Transparent-Bluse besonders heiß ist."

„Ich will aber nicht *besonders heiß* sein. Wenn er mich so spontan zu sehen bekäme, dann nur so, wie ich bin. In Jeans, Shirt und Strickjacke. Der soll nicht auch noch glauben, dass ich mich wie ein verzückter Teenie in Schale werfe, nur weil er mit dem Finger schnippt."

„Aha! Das heißt also, du denkst doch darüber nach, in das Auto zu steigen."

„Nein, das tue ich nicht. Ich sagte nur, dass … ach, vergiss es."

„Nun komm schon. Sonst fährt er wirklich

noch ohne dich los. Das wollen wir doch nicht riskieren, oder? Wie soll ich denn bitteschön sonst erfahren, wie dieser Kerl so wohnt, was er macht und ... na ja ... alles eben."

„Warum habe ich dich nur angerufen?"

„Weil du genau wusstest, dass ich dich zur einzig richtigen Entscheidung überreden würde."

„Ich hasse dich."

„Nein, du liebst mich. So wie ich dich, Schätzchen."

Kapitel 6

Wie viele Male bin ich an genau diesem Anwesen vorbeigefahren, besser gesagt an dem Teil des Anwesens, der von der Straße aus einsehbar ist? Und wie viele Male habe ich mich gefragt, wer dort wohnt?

„Irgend so'n reicher Typ, der sowieso nie zu Hause ist", hatte meine Mutter damals gemurmelt, als wir eine Radtour über die ganze Insel gemacht und dabei auch Timmendorf durchquert hatten.

Während sich das eiserne, mit meterhohen Rosenornamenten verzierte Tor öffnet, wird der Blick auf eine lange Einfahrt frei, an deren Seiten in akkuratem Abstand rundgeschnittene Büsche gepflanzt sind.

Wir fahren geradewegs auf eine dreistöckige Villa mit pastellblauer Fassade und weißen Fensterläden zu.

Die mächtige Eingangstür, die beinahe die Hälfte der Frontansicht einnimmt, steht zwischen zwei weißen gerillten Säulen. Im Augenwinkel nehme ich mit Liebe zum Detail bepflanzte Blumenkübel wahr, die auf Sockeln den Eingangsbereich zieren. Ein breiter Balkon erstreckt sich im zweiten Stockwerk weit in den Innenpark des Anwesens hinein.

Doch es fällt mir schwer, mich auf irgendetwas länger als ein paar Sekunden zu konzentrieren. Viel zu sehr beschäftigt mich die Frage, ob es wirklich eine so kluge Idee war, in den Wagen zu steigen.

Als wir uns parallel zur Eingangstür befinden, kommt der Wagen knirschend auf den Kieselsteinen zum Stehen.

Nur wenige Sekunden später öffnet der Fahrer die Wagentür. „Da wären wir, Fräulein Merineit."

Zögernd steige ich schließlich aus.

Für einen flüchtigen Moment komme ich mir in meiner Strickjacke und den verwaschenen Jeans tatsächlich etwas deplatziert in dieser vornehmen Umgebung vor. Doch schon im nächsten Augenblick verwerfe ich die Zweifel wieder. Dieser Mann soll nicht mal für den Bruchteil einer Sekunde denken, dass ich mich ihm und seinem Leben anpasse, nur weil mich die

Neugier in diese Limousine geführt hat.

Der Fahrer bleibt mit ineinander verschränkten Händen am Wagen stehen. Seine Aufgabe ist erfüllt, eine weitere Handlung darf anscheinend nicht mehr von ihm erwartet werden.

Eine Weile verharre ich direkt neben ihm, doch als weder Worte noch Taten folgen, gehe ich schließlich langsam die breiten Stufen hinauf, bis ich mich direkt vor der mächtigen schneeweißen Eingangstür wiederfinde.

Mein Blick fällt auf den goldenen Klingelknopf.

Was um Himmelswillen tue ich hier? Verrückt, dass mich nur sieben Minuten Autofahrt von diesem Mann trennen. Ein Mann, von dem ich bis vor Kurzem nicht mal wusste, dass er existiert. Ein Mann, der von derselben Insel und doch aus einer anderen Welt zu kommen scheint.

Ich atme tief ein, dann klingele ich endlich.

Nur wenige Sekunden später öffnet sich die Tür. Doch anstelle einer zum Luxus passenden Haushälterin steht er selbst vor mir.

„Du bist gekommen", stellt er mit einem strahlenden Lächeln fest, das jetzt, wo niemand sonst dabei ist, zum ersten Mal wirklich aufrichtig und ungezwungen wirkt. „Nachdem du mich gestern versetzt hast, hatte ich dich ehrlich gesagt nicht mehr erwartet."

Er trägt wie ich Jeans, dazu ein blaues Shirt, das den Ansatz seiner Muskeln betont. Dennoch wirkt sein Outfit ungezwungen und unaufdringlich. Eine weitere Tatsache, die nichts mit seinem Auftritt bei der Signierstunde gemeinsam hat.

„Versetzen kann man jemanden nur, wenn man verabredet war", antworte ich ruhig. „Aber wir beide waren nicht verabredet. Du hast mir lediglich gesagt, wo du um acht sein würdest. Das ist alles."

„Wie auch immer." Er neigt den Kopf zur Seite und betrachtet mich mit spitzbübischem Grinsen. „Das Einzige, was zählt, ist, dass du *heute* gekommen bist."

„Ich konnte einfach nicht mit ansehen, wie sich dein Fahrer noch länger die Beine vor meinem Haus in den Bauch steht." Ich betrete das Foyer. Auf dem glänzenden Parkett spiegelt sich die Sonne, die durch die deckenhohen Fenster fällt.

„Außerdem bist du mir noch eine Antwort

schuldig", sage ich.

Elian schließt die Tür. „Eine Antwort worauf?"

„Das weißt du genau." Ich verschränke die Arme vor der Brust.

„Wie wäre es mit Tee?", fragt er, ohne auf meine Frage zu reagieren. „Ich kann uns welchen machen."

Ich lache ungläubig. „Du kochst ihn selbst? Ein eigener Chauffeur und du machst deinen Tee allein? Das habe ich einem wie dir gar nicht zugetraut."

„Einem wie mir? Was soll das heißen? Traust du mir nicht zu, dass ich einen Wasserkocher bedienen kann?"

„Na ja, es geht nicht so sehr darum, was ich Männern wie dir nicht zutraue, sondern darum, *was* ich dir zutraue: Einen ganzen Personalstab zum Beispiel."

„Oh, Personal haben wir eine Menge", antwortet er, während er durch das Foyer in Richtung Küche geht. „Aber nur in der Firma, hier zu Hause kommt nur dreimal die Woche ein Putz-Team und fast täglich eine Köchin, je nach Bedarf. Das war's. Na ja, und unser Fahrer, den kennst du ja bereits."

Ich folge ihm überrascht. „Du hast keine Haushälterin? Keinen Butler? Aber das Haus ist riesig."

„Weil meine Mutter es so wollte", antwortet er. „Meinem Vater war es schon immer zu groß und mir sowieso. Na ja, und Natascha ... Natascha braucht nur ihr eigenes Bad, um wunschlos glücklich zu sein."

„Das heißt, du wohnst hier mit deiner ganzen Familie?"

„Mein Vater lebt mittlerweile auf Rügen, um in der Nähe unserer zweiten Niederlassung zu sein, während Natascha und ich uns hier um die Geschäfte kümmern. Meine Mutter ist vor sieben Jahren gestorben."

„Das tut mir leid."

„Sie war sehr krank."

Ich senke den Blick.

„Im Moment wohnen Natascha und ich alleine hier", fährt er fort. „Hat sich irgendwie so ergeben."

In der Küche angekommen, fällt mein Blick sofort auf den hübschen weißgrauen Landhausstil, angefangen von den Schränken bis hin zu den hölzernen Kochlöffeln an der Wand.

Während er den Kocher mit Wasser füllt, lehne ich mich gegen den urigen Eichentisch in der Mitte des Raumes.

„Das ist doch verrückt", sage ich schließlich.

„Was?" Er zieht zwei große Tassen von den Haken des Wandregals.

„Na ja ... dass wir so tun, als würden wir uns kennen."

Er stellt die Tassen auf den Tisch. „Dann lass uns dafür sorgen, dass wir uns *wirklich* kennenlernen. Dann ist es auch nicht mehr verrückt. Was willst du über mich wissen? Ich habe nichts zu verbergen. Unsere Firma heißt Radloff-Fisch, hast du sicher schon mal in den Supermarktregalen gesehen. Wir bieten alles an Dosenfisch an, was das Feinschmeckerherz begehrt. Tomatengeschmack, Mango-Curry, Senf-Dill. Und wenn du es besonders exotisch magst, dann ..."

„Moment mal, ich würde sagen, das sind etwas zu viele Informationen."

„Du interessierst dich also nicht für Fisch?"

Er zieht einen der schweren Stühle für

mich zurück. Widerstrebend nehme ich Platz.

„Also?", fragt er, während er eine große Holzbox öffnet. „Welche Sorte hättest du gern? Birne-Vanille? Lieber etwas mit Kräutern? Waldfrucht?"

„Was ich gerne hätte, ist nicht in dieser Box."

„Mhm ..." Er mustert mich mit prüfendem Blick. „Du scheinst mir mehr der Früchtetee-Typ zu sein." Er zieht zwei Teebeutel heraus und hängt sie in die Tassen.

Ich beuge mich über den Tisch und schaue ihm entschlossen in die Augen. „Ich bin nicht zum Teetrinken hergekommen."

Elian lässt sich auf den Stuhl neben mir fallen, ohne dass auch nur ein Hauch seiner Selbstsicherheit verlorengeht. „Wir können auch etwas anderes trinken. Oder wir essen erst etwas. Luisa, unsere Köchin, hat draußen den Frühstückstisch gedeckt, wir können direkt nach draußen gehen, wenn du magst. Den Tee nehmen wir einfach mit."

Meine Augen ruhen noch immer skeptisch auf ihm. Wie kann dieser Mann nur derart gelassen über die Tatsache hinwegsehen, dass wir zwei völlig Fremde sind und uns bis auf den kurzen Auftritt bei der Signierstunde nie zuvor begegnet sind?

„Was willst du von mir, Elian? Warum hast du jedes meiner Bücher derart schlecht rezensiert und doch immer wieder gelesen, wenn sie so niveaulos und unrealistisch sind? Und wenn ich eine so schreckliche Autorin bin, warum hast du dann so ein gesteigertes Interesse daran, mich näher kennenzulernen?"

Er hält einen kurzen Moment inne.

„Meine Schwester liebt deine Bücher", sagt er schließlich. „Sie hat einen Artikel über dich gelesen und als ihr klar wurde, dass eine Autorin, die ausgerechnet über Millionäre schreibt, hier bei uns auf der Insel wohnt, war sie total aus dem Häuschen. Weißt du, es klingt vielleicht verrückt, aber Natascha hatte schon immer so ihre Probleme damit, reich zu sein. Nicht, weil sie das Geld und den Luxus nicht mochte, sondern weil sie sich unter ihren Freundinnen immer ein bisschen wie ein Sonderling gefühlt hat, zumal der Rest der Inselbevölkerung ja eher bodenständig lebt. Sie kam sich immer irgendwie unverstanden vor, auch weil sie so früh Erfahrung mit Neid und

Missgunst machen musste. Deshalb liest so gern deine Bücher. Sie hat den Eindruck, dass du unsere Welt verstehst."

Ich hebe die Augenbrauen. „Aber du siehst das anders ..."

„Na ja, sie hat mich so lange gedrängt, auch eines der Bücher zu lesen, weil sie damals meinte, einer der Titelhelden würde sie an mich erinnern. Und als ich mich dann schließlich habe überreden lassen, war der einzige Gedanke, den ich hatte, dass diese Geschichten rein gar nichts mit mir zu tun haben. Nicht mal im Ansatz."

„Wer sagt denn, dass jeder Millionär wie du sein muss? Es sind doch trotzdem unterschiedliche Charaktere, Geschichten und Werdegänge. Kein Mensch ist wie der andere. Ich meine, nicht jeder verdient Millionen mit dem Verkauf von Fisch. Jeder hat seinen eigenen Weg. Und ganz ehrlich, du gehörst nicht unbedingt zur Zielgruppe meiner Geschichten. In erster Linie schreibe ich nun mal für Frauen, die sich nach der großen Liebe sehnen."

„Da haben wir es wieder", er zwinkert mir zu, „wenn der Autor nicht mit Kritik umgehen kann, heißt es einfach, man gehört nicht zu

Zielgruppe."

„Das hat absolut nichts mit Kritikunfähigkeit zu tun. Jeder erntet mal schlechte Kritik, das gehört zum Geschäft." Ich halte kurz inne. „Es geht darum, dass du ein Buch furchtbar findest und sofort das nächste liest, das du wieder furchtbar findest und trotzdem auch das übernächste liest. Das ist doch verrückt. Willst du mir absichtlich deine schlechten Urteile reinwürgen, nur weil ich es gewagt habe, über Millionäre zu schreiben? Hast du ein Monopol auf das Thema, nur weil du selbst einer bist, oder wie? Dass ich in deinen Augen eine lausige Autorin bin, habe ich mittlerweile begriffen. Glaube mir."

Elian lehnt sich seufzend zurück. „Ich habe nie gesagt, dass du eine lausige Autorin bist. Alles, was ich festgestellt habe, war, dass du einfach ein völlig falsches Bild von Millionären vermittelst. Logischerweise hatte ich deshalb eine gewisse Skepsis dir gegenüber. Zumindest bis ..."

„Bis *was*?"

„Na ja, bis Natascha mich angefleht hat, sie zu deiner Signierstunde zu begleiten und wir uns das erste Mal über den Weg gelaufen sind."

„Schön und gut. Aber das erklärt noch

lange nicht, warum du ganze sieben Bücher von mir öffentlich schlechtgemacht hast. Niemand, der alle Bücher einer Autorin hasst, liest sie immer wieder. Es sei denn, er führt etwas im Schilde."

„Ach ja? Und was führe ich deiner Meinung nach im Schilde?"

„Ganz genau das wollte ich gerne von dir wissen."

„Und was, wenn ich einiges über dich von Natascha erfahren habe? Was, wenn ich tatsächlich immer wieder aufs Neue auf der Suche nach der einen Geschichte war? Der einen Geschichte, die ich dir abkaufe? Eine Geschichte, die in die Realität passt?"

„Ach komm schon, Elian." Ich muss lachen. „Welche meiner Liebesgeschichten passt denn wirklich in die Realität? Ganz egal, ob ich über Millionäre schreibe, über Reitlehrer oder Verkäufer – im wahren Leben legen sich die Männer nun mal nicht so sehr ins Zeug, wie sie es in meinen Büchern tun. Das wissen wir doch beide."

Er lächelt geheimnisvoll. „Bist du da wirklich sicher?"

„Sie tun es zumindest niemals aus

Selbstlosigkeit."

„Schade, dass du das so siehst. Du scheinst schlechte Erfahrungen gemacht zu haben." Er steht auf und greift nach dem Wasserkocher. „Vielleicht hast du vom echten Leben wirklich noch nicht viel mitbekommen."

Ich schaue ihm dabei zu, wie er Wasser in die Tassen füllt. Was genau verspreche ich mir eigentlich davon, hier zu sein? Er hat versucht, mir auf meine Frage zu antworten und doch ändern seine Worte rein gar nichts. Warum war mir seine Antwort überhaupt so wichtig? Und warum, verdammt, bin ich in diesen Wagen gestiegen?

Er greift nach einer der Tassen und reicht sie mir.

Für einen kurzen Moment berühren sich unsere Finger. Nur leicht und eigentlich kaum spürbar. Trotzdem trifft mich die Berührung bis ins Mark.

Nein, Felina. Das redest du dir ein. Er ist ein reicher und besserwisserischer Schnösel. Nicht mehr und nicht weniger.

Unsere Blicke treffen sich in einer Intensität, die mich erschreckt und die gleichzeitig so faszinierend ist, dass ich kurz innehalte.

Doch schon im nächsten Augenblick erinnere ich mich an meine Skepsis.

„Tut mir leid." Ich stelle die Tasse zurück auf den Tisch. „Aber ich kann das hier nicht."

„Was kannst du nicht?"

„Tee mit einem Fremden trinken, geschweige denn Frühstück mit ihm essen."

„Ist das alles, was ich für dich bin? Ein Fremder?"

„Ja, Elian. Genau das bist du." Ich wende mich von ihm ab. „Es wird Zeit, dass ich wieder nach Hause fahre. Es warten noch einige Kapitel auf mich."

„Das Leben besteht aber nicht nur aus Arbeit."

„Wenn ich den Erscheinungstermin einhalten will, wird es aber wohl oder übel darauf hinauslaufen."

„Felina. Warte."

Auf der Schwelle der Küchentür drehe ich mich noch einmal um.

„Der Fahrer bringt dich, wohin auch immer du willst", sagt er.

„Danke, aber ich will einfach nur nach Hause."

Er lächelt. „Und wann sehe ich dich wieder?"

„Wieso? Willst du mein neues Buch vorab lesen, damit du deine nächste Schimpf-Rezension vorbereiten kannst?"

„Vielleicht will ich dir ja nur zeigen, wie ein echter Millionär so tickt."

„Danke. Ich begnüge mich lieber mit meiner Fantasie. Die enttäuscht mich wenigstens nicht."

Dann verlasse ich die Küche, ohne mich noch einmal umzudrehen.

Kapitel 7

„Guten Morgen."

„Felina! Schätzchen. Wieso gehst du nicht ans Telefon, verdammt? Ich versuche seit gestern, dich zu erreichen."

„Ich hatte zu tun. Jetzt habe ich übrigens auch nicht so viel Zeit. Habe gerade die neuen Autorenfotos vom Fotografen abgeholt und habe meinem Vater versprochen, frisches Gemüse zu kaufen. Er wartet schon drauf, weil er sich in den Kopf gesetzt hat, mir den besten Eintopf aller Zeiten zu kochen. Du weißt ja, er denkt immer, ich ernähre mich zu ungesund."

„Vergiss den Eintopf. Du kannst mich doch nicht so lange zappeln lassen. Ich sterbe vor Neugier."

„Deine Neugier ist völlig unbegründet, Marina. Es gibt nämlich rein gar nichts zu berichten."

„Aber du warst doch da, oder nicht? Du bist in die Limousine gestiegen."

„Ja, aber doch nur, damit dieser Typ nicht

ewig vor meinem Haus steht."

„Ja ja, schon klar. Und? Wie war's?"

„Wie soll's schon gewesen sein? Wir haben kurz geredet und dann bin ich auch wieder abgehauen."

„Wie, du bist abgehauen?"

„Er hat mir meine Frage beantwortet und somit gab es keinen Grund mehr, auch nur eine Minute länger dort zu bleiben."

„Aber er hatte dich doch zum Frühstück eingeladen oder nicht?"

„Sicher hatte er das, aber ich bin diesem Mann nichts schuldig, oder?"

„Was hat denn das mit schuldig zu tun? So eine Einladung bekommt man nicht alle Tage. Sie anzunehmen, wäre doch wohl das Mindeste gewesen."

„Du meinst, man bekommt nicht jeden Tag so eine Einladung von einem *Millionär*. Das ist es doch, was du sagen wolltest, richtig?"

„Na ja, wenn du es *so* formulieren willst."

„Marina, du weißt doch selbst, wie solche Typen sind. Wer weiß, wie viele Frauen er parallel laufen hat. Auf so etwas würde ich mich niemals einlassen. Und wir wissen doch beide, dass es mit einem gemeinsamen Essen darauf hinauslaufen würde, dass man sich wiedersieht. Wieder und wieder und wieder. Bis man irgendwann so sehr im Gefühlschaos steckt, dass man es nicht mehr so leicht überwinden würde, wenn man verletzt wird. Außerdem finde ich den Gedanken schrecklich, irgendjemand könnte glauben, ich habe es nur auf sein Geld abgesehen."

„Seit wann interessieren dich die Meinungen der Leute?"

„Na schön, dann interessiert mich eben meine eigene Meinung, und wie die aussieht, habe ich dir gerade erklärt. Ich bin mir einfach zu schade, auch nur ein Date mit ihm in Erwägung zu ziehen. Du weißt doch, wie solche Geschichten ausgehen – ein Happy End gibt es doch nur im Buch. Nein danke, da warte ich lieber auf einen bodenständigeren Typen."

„Ist das dein Ernst? Nur weil du einmal Pech mit einem reichen Typen hattest, willst du jetzt alle wohlhabenden Kerle für immer verteufeln?"

„Ich höre einfach nur auf mein Bauchgefühl. Kenny war zwar nicht so reich wie dieser Elian, aber er hatte ständig Höhenflüge.

Eine Frau war ihm nie gut genug, er brauchte ständig Bestätigung."

„Und was lässt dich glauben, dass dieser Elian genauso ist? Du kennst ihn doch kaum."

„Seine Aufdringlichkeit macht mich einfach stutzig. Zu viel Selbstbewusstsein sollte einen immer misstrauisch machen. Ich meine, er kennt mich nicht, lädt mich aber zweimal ein. Das ist doch verrückt."

„Wahrscheinlich findet er dich einfach rattenscharf. Und da wäre er nicht der Erste. Und über mangelndes Selbstbewusstsein kann man sich bei dir ja wohl auch nicht beklagen."

„Und woher weiß ich, dass er diese Masche nicht schon bei hundert anderen Frauen ausprobiert hat?"

„Wen stört es, solange die hundert Frauen der Vergangenheit angehören? Alles, was zählt, ist die Gegenwart – und in der Gegenwart könntest du dringend mal wieder ein bisschen Spaß gebrauchen. In letzter Zeit hast du ununterbrochen geschrieben."

„Ich liebe meinen Job nun mal."

„Ja, ich liebe meinen Job auch. Und ganz genau deshalb weiß ich, dass man sich auch mal eine Pause gönnen muss, um die Arbeit nicht irgendwann zu hassen. Glaube mir, ich weiß, wovon ich rede. Und wenn man schon eine Pause machen muss, warum dann nicht mit einem netten und noch dazu unheimlich gutaussehenden Millionär?"

„Ach, Marina, warum zerbrichst du dir nur ständig meinen Kopf? Es geht mir gut mit dieser Entscheidung. Es war doch nur eine Einladung zum Frühstück, die ich ausgeschlagen habe. Wen kümmert es schon? Das Leben geht weiter."

„Wenn du meinst."

„Ja, das meine ich. So, und jetzt entschuldige mich bitte, aber mein Vater wartet auf mich."

„Tja, wer will schon Champagner und Kaviar, wenn er Eintopf von Papa haben kann?"

„Ganz genau."

Kapitel 8

So entschlossen ich meine Entscheidung auch vor Marina verteidigt habe, so verwirrt bin ich über meine eigenen Gefühle, als ich aus dem Wagen steige.

Kann es sein, dass ich in Wahrheit nicht vor Elian, sondern vor meinen eigenen Emotionen davongelaufen bin? Emotionen, die ich nicht einordnen konnte und die mir eine Angst eingejagt haben, die ich einfach nicht in meinem Leben gebrauchen kann?

Schwachsinn! Du denkst einfach nur zu viel nach, Felina. Das ist alles.

Mit einer Papiertüte voll Blumenkohl, Mohrrüben und Sellerie auf dem Arm schließe ich die Haustür auf.

„Sorry, Papa, hat etwas länger gedauert", rufe ich in den Flur hinein, während ich meine Schlüssel ans Brett hänge.

„Macht nix, Felinchen, ich hatte eh noch zu tun", ruft er mir vom Wohnzimmer aus zu.

„War der Paketdienst schon da? Eigentlich

hatte ich ja schon gestern mit den neuen Flyern gerechnet. Also, wenn sie heute nicht endlich kommen, dann ..."

In der Wohnzimmertür schrecke ich unweigerlich zusammen. „Was machst *du* denn hier?", entfährt es mir etwas lauter, als mir lieb ist.

Papa, der direkt neben ihm auf dem Sofa sitzt, stellt seine Kaffeetasse zurück auf den Tisch, als er mich sieht. „Du hast mir ja gar nicht gesagt, dass du so einen netten Freund hast, Felinchen."

„Elian ist kein Freund", antworte ich geschockt. „Er ist nur ein Bekannter."

„Na ja, er hat sich ja auch nicht als dein Liebhaber vorgestellt", Papa schlägt lachend die Hände auf die Knie, „obwohl ich sagen muss, dass ihr beide ein entzückendes Pärchen abgeben würdet."

„*Ein Freund*", erhebt Elian das Wort, „denken Sie dran, Günther, ich sagte nur, dass ich *ein Freund* bin."

„Wortklauberei." Mein Vater zwinkert ihm zu, als hätte er ihm gerade die Beichte abgenommen.

„Kann mir vielleicht mal irgendwer erklären, was hier vor sich geht?", fauche ich.

„Na na, Schätzchen", mein Vater steht auf, „warum denn so schlechtgelaunt?" Er nickt Elian zu. „Siehst du, Elian, das ist genau das, was ich vorhin meinte. Sie arbeitet einfach viel zu viel und ist deswegen ständig gereizt. Sie muss dringend mal auf andere Gedanken kommen."

In meinem Kopf herrscht das reinste Chaos. Worte suchen sich ihren Weg und verpuffen schon im nächsten Moment wie Seifenblasen, während mein Herz wie ein Schnellzug rast. Was denkt sich dieser Kerl eigentlich?

„Ständig gereizt", wiederhole ich, während ich mich darum bemühe, nicht die Beherrschung zu verlieren. „Da hast du wohl recht, Papa." Augenblicklich ändert sich mein Tonfall und ein mechanisches Lächeln stiehlt sich auf meine Lippen. „Und damit ich etwas entspannter werde, wollten Elian und ich gerade zu einem Strandspaziergang aufbrechen, *nicht wahr, Elian*? Deswegen bist du doch hier, oder?" Ich schaue ihm mit aufforderndem Blick an.

„Ähm … ja genau", Elian steht auf und reicht meinem Vater die Hand. „Entschuldigen Sie, Günther, aber wir müssen los. Es war mir eine

Freude, Sie kennengelernt zu haben."

„Immer wieder gern, mein Junge." Mein Vater strahlt bis über beide Ohren. „Ich hoffe, wir holen das nette Gespräch irgendwann mal nach."

„Von mir aus gern."

Dann verlässt Elian das Wohnzimmer. Auf dem Flur zerre ich instinktiv an seinem Ärmel. Viele Worte liegen mir auf der Zunge, doch ich versuche, mich zu beherrschen, bis wir vor der Tür sind. Draußen angekommen platzt es schließlich nur so aus mir heraus.

„Sag mal, kannst du mir mal verraten, was das soll?", keife ich. „Was fällt dir ein, meinen Vater zu benutzen, um an mich heranzukommen? Du kennst mich doch überhaupt nicht. Warum hast du es dir in den Kopf gesetzt, mich ständig wiedersehen zu wollen?"

„Du hast den Stoffgürtel deiner Strickjacke bei mir vergessen", antwortet er ruhig.

„Mein Gürtel? Was redest du da bloß für einen Blödsinn?"

Ich komme ins Grübeln. Kann es wirklich sein, dass ich ihn verloren habe, ohne es zu merken?

„Mir selbst ist es ja auch nicht aufgefallen",

erklärt er. „Natascha hat ihn unter dem Küchentisch gefunden."

„So ein Schwachsinn. Den hast du mir doch absichtlich von der Hüfte gezogen, ohne dass ich es merke!"

„Glaubst du das ernsthaft?"

Während wir uns lautstark unterhalten, entfernen wir uns weiter vom Haus, bis wir das Schilf mit dem schmalen Pfad zum Strand erreichen.

„Ich weiß nicht, was ich glauben soll. Alles, was ich weiß, ist, dass du nicht das Recht hast, meinen Vater für deine Zwecke auszunutzen. Er ist viel zu gutmütig. Außerdem kennst du ihn überhaupt nicht. Genauso wenig wie mich." Ich gerate ins Stutzen. „Wie bist du überhaupt hergekommen? Ich habe den Leichenwagen gar nicht gesehen."

„Es ist eine Limousine, Felina."

„Sieht aber aus wie ein Leichenwagen."

„Wenn du es genau wissen willst, bin ich mit dem Fahrrad hier."

„Du? Mit dem Fahrrad?" Ich versuche, meine Überraschung zu verbergen.

„Erst traust du mir nicht zu, dass ich

Teewasser kochen kann. Jetzt zweifelst du an meinen Fahrradkünsten. Dass ich ein Mensch aus Fleisch und Blut bin, hast du aber schon mitbekommen, oder?"

„Trotzdem. Es gibt dir noch lange nicht das Recht, dich meinem Vater so aufzudrängen."

„Aber du verstehst das völlig falsch." Trotz meiner Vorwürfe ist er die Ruhe selbst. „Dein Vater hat *mich* reingebeten. Nicht umgekehrt."

„Ach ja? Wenn du nur den Gürtel abgeben wolltest, warum hast du ihn nicht einfach meinem Vater gegeben und bist wieder gegangen?"

Wütend laufe ich vorweg in Richtung Strand, während er mir entschlossen hinterhergeht.

„Das wollte ich ja", antwortet er. „Aber er wollte sofort wissen, wer ich bin, warum ich deinen Gürtel habe und so weiter. Als er mir dann auch noch einen Kaffee angeboten hat, um auf dich zu warten, konnte ich nicht Nein sagen."

„Verstehe schon. Natürlich konntest du nicht Nein sagen. Weil das ja auch so schrecklich schwer ist." Ich hebe theatralisch die Arme. „Also, wenn du willst, kann ich dir beibringen, wie das mit dem Nein-Sagen geht. Pass auf, ich zeig's dir."

Ich trete einen Schritt näher und schaue ihm provozierend in die Augen. „*Nein*, Elian, ich möchte nicht, dass du extra herkommst, um mir den Gürtel meiner Strickjacke zu bringen, weil ich mir lieber einen neuen kaufe, wenn ich ihn tatsächlich vermissen sollte. Und *nein*, Elian, wir sind keine Freunde, eigentlich nicht mal Bekannte, weil das bedeuten würde, dass man wenigstens etwas mehr voneinander kennt als die Vornamen. Und *nein*, Elian, ich werde keine deiner Gespielinnen, nur, weil du es gewohnt bist, dass du mit deinem Geld alles erreichen kannst, was du willst. Ich bin keine von denen, vor deren Nase man nur mit einem Tausender wedeln muss, damit sie weich werden.“

Doch anstelle einer Antwort erwidert er meinen Blick wortlos mit einer solchen Vertrautheit, dass ich ins Stocken gerate.

„Ist es das, was du denkst?“, erwidert er leise. „Dass ich auf der Suche nach einer Gespielin bin? Dass hier ein Frauenheld vor dir steht, der glaubt, in dir sein nächstes Opfer gefunden zu haben?“

„Die Tatsache, dass du mir gestern deine Limousine geschickt hast, hat eine eigene Sprache gesprochen, findest du nicht? Unpersönlicher geht es wohl kaum. Auch wenn es dich vielleicht überrascht, es gibt Leute, die finden so etwas eher peinlich als beeindruckend."

Doch auch diese Rede bringt ihn nicht aus der Fassung.

„Ich habe eine Frage an dich", beginnt er vorsichtig. „Und ich hoffe, du verstehst das nicht falsch."

Ich atme genervt aus.

„Was hast du nur erlebt, dass dich so kratzbürstig auf das Thema Geld reagieren lässt?"

„Was soll das nun wieder? Ich habe rein gar nichts erlebt. Ich verdiene mein eigenes Geld. Ich brauche keinen Mann, der mich aushält."

„Ich mag Frauen, die voll und ganz auf eigenen Beinen stehen", antwortet er, während er mich eindringlich betrachtet. „Vielleicht weil solche Frauen etwas ausstrahlen, das anderen fehlt. Aber deshalb habe ich dir diese Frage nicht gestellt, Felina."

Die Art, wie er meinen Namen ausspricht, verpasst mir einen kurzen Stich.

Warum nur erscheint er mir derart vertraut? Und warum wehrt sich alles in mir gegen dieses Gefühl?

„Warum hast du sie mir dann gestellt?", entgegne ich, nun etwas sanfter.

„Weil ich einfach nicht begreifen kann, warum du dich so gegen etwas wehrst, das schon im allerersten Moment unserer Begegnung deutlich war: Dass da etwas zwischen uns ist."

Wortlos starre ich ihn an.

„Und genau dieses Etwas", fährt er fort, „ist es, das mich dazu bringt, dir nachzulaufen wie ein verlorener Hund. Es bringt mich dazu, hinter all diesen zickigen Bemerkungen auch das Verletzliche herauszuhören. Und es bringt mich dazu, eine Seele hinter diesem Dickkopf zu erkennen, die ich unbedingt näher kennenlernen möchte. Bis", er kommt näher, „bis wir uns irgendwann vielleicht wirklich als *Freunde* bezeichnen können."

„Ich verstehe nicht", entgegne ich so leise, dass ich mich selbst kaum hören kann.

„Ich tue so etwas sonst nicht", antwortet er, „auch, wenn du lieber deinen Kopf in den Sand stecken würdest, als mir das zu glauben."

Er befeuchtet seine Lippen und schließt sie dann wieder. Seine Blicke scheinen jedes meiner

Geheimnisse zu offenbaren, sein Lächeln jeden meiner Vorsätze zu verwischen.

Er steht so nah vor mir, dass ich seinen Atem an meinen Wangen spüren kann.

Hatte er recht? War da wirklich vom ersten Augenblick an etwas zwischen uns? Und wenn ja, warum sehnt sich alles in mir danach, einfach davonzulaufen, während ich gleichzeitig unfähig bin, mich zu bewegen?

Bin das noch immer ich? Dieselbe Frau, die sich von nichts und niemandem aus der Ruhe bringen lässt? Dieselbe Frau, die mit den Füßen im Sand steht und einem Mann tiefer in die Augen schaut, als sie es unter diesen Umständen sollte?

„An diesem Teil des Strandes war ich noch nie", flüstert er. „Du kannst dich glücklich schätzen, hier zu wohnen. Alles ist so verlassen und idyllisch."

„Das bin ich", antworte ich. „Glücklich, meine ich."

Auf seine hübschen Lippen stiehlt sich ein Lächeln.

Ich möchte etwas sagen, irgendetwas, das der Situation die seltsame Stimmung entzieht, und merke doch, dass es genau diese Stimmung ist, die mich auf unerklärliche Weise fesselt.

Und dann geschieht es: Langsam hebt er die Hand und legt sie an meine Wange. Wie von selbst schließe ich die Augen, als hätte ich die ganze Zeit einzig und allein auf diese Berührung gewartet.

Als ich die Augen wieder öffne, sind alle Hemmungen verschwunden. Ohne zu zögern greife ich nach seiner Hand und umschließe sie so fest mit meiner, dass ich seinen Puls spüren kann. Dann führe ich sie an meine Taille und umfasse sein Kinn mit beiden Händen.

Entschlossen und sichtlich dankbar für meinen Mut zieht er mich an sich heran und küsst mich so fordernd, als hätten wir Jahre auf diesen Moment gewartet.

Von da an verschwinden meine Gedanken in farblosem Nichts. Ich weiß nicht mehr, was wir noch vor zehn Minuten gesagt haben, selbst die Worte, die uns erst Sekunden zuvor über die Lippen gegangen sind, sind vergessen.

Alles löst sich in dem Wunsch auf, die letzten Zweifel zu vergessen.

Er schiebt seine Finger zwischen meine, erst eine Hand, dann die zweite, bis ich seine

Fingernägel fest auf meinen Handrücken spüre.

Seine Lippen umschließen meine mit einer Entschlossenheit, die mich gleichermaßen anzieht und überwältigt, als ich mich rücklings in den warmen Sand fallen lasse.

In meinem Nacken nehme ich das Kitzeln des abgebrochenen Schilfs wahr, doch meine Sehnsucht, mit ihm genau jetzt, genau hier den Rest der Welt auszublenden, ist stärker als alles, was uns auch nur für den Bruchteil einer Sekunde ablenken könnte.

Das Rauschen der Wellen, die den Sand in weichen Zügen zu streicheln scheinen, verschwimmt zu dem Geräusch eines Traumes. Ja, es muss ein Traum sein, eine andere Erklärung gibt es nicht. Wie sonst lässt es sich erklären, dass ausgerechnet ich all meine Hemmungen fallen lasse? Ich, die sonst immer alles unter Kontrolle hat? Das kann unmöglich Realität sein.

Unser Atem wird schneller, fast so, als wäre sein Atem meiner und umgekehrt. Trotz der Hitze überkommt mich eine Gänsehaut, während er das rotweiße Sommerkleid sanft an meinen Beinen hochschiebt.

Ich spüre seine kräftige Hand an der

Innenseite meines Schenkels, seine Lippen und den Ansatz seiner Zunge an meinem Hals – und alles, was ich mich fragen kann, ist, wie stark ein Gefühl sein muss, dass es jede Vernunft, jedes Vorhaben wie eine Seifenblase zerplatzen lässt?

Sind das wirklich meine Hände, die gerade dabei sind, seine Hose aufzuknöpfen?

Doch meine Gedanken lösen sich mit jedem Kuss und jeder Berührung mehr und mehr in Luft auf.

Ja, dieser Teil des Strandes ist tatsächlich verlassen, damit hat er Recht behalten. Doch viel unglaublicher ist die Tatsache, dass es mir mit jeder Sekunde unwichtiger wird, ob uns tatsächlich jemand hier sehen könnte.

Alles ist egal. Alles. Solange ich nur weiß, dass ich bei ihm bin.

„Warum tun wir das?", fragt er. „Das ist doch verrückt."

„Schlechter Zeitpunkt für diese Frage", flüstere ich, als ich sein T-Shirt hinter mir ins Schilf werfe.

Er lacht leise, während er meinen Schenkel entschlossen packt und leicht anhebt.

Ich spüre seine Hand in meiner Kniekehle

und weiß plötzlich, was von Anfang an klar war: Dass dieser Moment unausweichlich war. Und genau diese Vorstellung, dass eine tiefe Gewissheit und eine mir völlig fremde Hemmungslosigkeit plötzlich Hand in Hand gehen könnten, hat mir vermutlich solche Angst bereitet.

Als ich jedoch seinen Kopf an meinem fühle, weiß ich, dass Angst nicht immer etwas Schlechtes ist.

Zumindest nicht hier. Nicht jetzt.

Kapitel 9

Als ich die Augen öffne, kommt es mir so vor, als hätte ich einen ganzen Tag durchgeschlafen.

Er hat sein Shirt unter uns ausgebreitet. Ein kläglicher Ersatz für eine Decke, doch das Kitzeln des niedergeknickten Schilfs unter uns stört mich nicht wirklich.

Er liegt auf seinen Arm gestützt neben mir und betrachtet mich mit sanftem Lächeln.

„Weißt du eigentlich, dass ich dich nicht leiden kann?", flüstere ich.

„Tatsächlich?" Er küsst meine Nasenspitze. „Dann möchte ich lieber nicht wissen, was du mit denen machst, die du magst."

„Wenn mir jemand noch heute früh gesagt hätte, dass das hier passieren würde, ich hätte ihn für verrückt erklärt."

„Das ist das Schöne am Leben", antwortet er, „man weiß nie, was einen erwartet."

„Und jetzt?" Ich streichle seinen Arm mit meinem Zeigefinger. „Wie soll es weitergehen?"

„Ich habe keine Ahnung."

„Ich habe auch keinen Plan."

„Ist das nicht das Schöne daran?", entgegnet er. „Ich meine, keine Ahnung zu haben, was als Nächstes passiert?"

„Du findest das schön?"

Er nickt. „In meinem Job ist alles immer so genau durchstrukturiert. Meeting um zehn, Konferenz zur neuen Werbekampagne um zwölf, Geschäftsessen mit Langweiler-Großkunden um eins."

„Strandsex mit Groschenroman-Autorin um zehn", unterbreche ich ihn.

Er lacht. „Ich habe nie gesagt, dass du Groschenromane schreibst."

Ich zwinkere ihm zu. „Das Thema ist durch, okay? Ich brauche niemanden, der mein Ego streichelt, also ist deine Meinung sowieso uninteressant."

„Moment mal, hast du gerade gesagt, ich bin uninteressant?" Er kitzelt meine Taille.

„Nicht du", ich kichere wie ein Kind, während ich seine Hände abwehre, „nur deine Lesermeinung, Mister Nicht-meine-Zielgruppe."

Ich lasse mich in seine Armbeuge fallen.

„Und was, wenn wir einfach hier liegenbleiben?", fragt er. „Nur du und ich. Scheiß auf Meetings und Erscheinungstermine."

„Na ja, man könnte doch wohl sagen, dass jeder von uns sein eigener Chef ist, oder?" Ich suche seinen Blick. „Wenn wir also Lust auf Freizeit haben, dann nehmen wir sie uns einfach. So oft und so lange, wie wir wollen."

„Ho ho. Das sind ja ganz neue Töne. Gestern hast du noch gesagt, dass du dir keine Pause an deinem Kapitel erlauben kannst."

„Gestern lag ich auch noch nicht halbnackt mit einem Millionär im Schilf."

„Hey, das klingt nach einem tollen Buchtitel, wenn du mich fragst: *Der Millionär im Schilf*."

„Nee, lass mal, ich habe schon einen Titel."

„Fürs nächste Buch?"

Ich nicke. „*Millionäre unerwünscht*."

„Nicht dein Ernst!"

Erst jetzt wird mir die Ironie der Situation bewusst. „Vielleicht hatte ich deshalb keine Lust, mich auf dich einzulassen, denn ..."

„Millionäre unerwünscht", fällt er mir lachend ins Wort.

„Ganz genau."

Er küsst meine Stirn und legt seinen Kopf seitlich an meinen. „Wo du gerade von dem Luxus sprichst, dass wir uns so viel Freizeit gönnen können, wie uns lieb ist ..."

„Worauf willst du hinaus?", frage ich.

„Na ja, ich habe mich gefragt, ob du vielleicht Lust hättest, heute Abend einen kleinen Bootsausflug mit mir zu machen."

„Einen Bootsausflug?" Ich hebe die Augenbrauen.

„Okay okay, es ist eine Yacht."

Ich lache. „Brauche ich Diamantohrringe und ein Cocktailkleid, um mitfahren zu dürfen?"

„Du bist die erste Frau, die ich kennenlerne, bei der ich mich dafür schämen muss, eine Yacht zu haben", stellt er scherzhaft fest.

„Du musst dich nicht schämen. Ich frage mich nur gerade ..."

„Was?"

„Na ja, wie viele Frauen schon vor mir auf dieser Yacht waren."

„Ist das eine ernst gemeinte Frage?"

„Kommt drauf an, wie die Antwort lautet."

„Zwei."

„Du verarschst mich."

„Nein, im Ernst. Es waren in den letzten vier Jahren zwei Frauen drauf, mal abgesehen von Natascha."

„Bist du Mönch oder so?"

„Ich nehme nur nicht jede Frau gleich mit auf mein Boot, wenn du es genau wissen willst."

„Könnte aber auch heißen, dass sie es nie bis auf die Yacht geschafft haben, weil es allesamt nur One-Night-Ladies waren."

„Das könnte es heißen, ja." Er schmunzelt geheimnisvoll. „Es könnte aber auch heißen, dass sich die Bekanntschaften immer schnell in eine Richtung entwickelt haben, die nicht so recht zu meinen Vorstellungen von einer Beziehung auf Augenhöhe passte."

Ich versuche, die Bedeutung seiner Worte zu entschlüsseln.

„Sie waren nur auf dein Geld aus", sage ich mitfühlend.

„Manchen hat man es ziemlich schnell angemerkt", antwortet er. „Manchen erst später."

„Dann habe ich den Nicht-auf-dein-Geld-aus-Test also sofort bestanden?"

„Es war kein Test." Er streicht mir eine Strähne aus dem Gesicht. „Es war ein Gefühl. Von Anfang an. Weißt du, man trifft nicht alle Tage eine Frau, die eine solche Gewissheit in mir weckt. Vielleicht war ich deshalb so hartnäckig."

„Ich hätte zwar nie gedacht, dass ich das mal sagen würde, aber ich bin froh, dass du es warst – hartnäckig, meine ich."

Er beugt sich für einen Kuss über mich, der für einen Moment die Bilder der letzten Stunde in mir wachruft. Plötzlich ist alles wieder da: Seine Hände an meinem Körper, seine Lippen auf meiner Haut.

„Also?" Er zeichnet mein Kinn mit seiner Fingerspitze nach. „Was sagst du zu meiner Einladung?"

„Ich würde mit dir auch auf einem klapprigen alten Ruderboot rausfahren."

„Was ja im Prinzip fast dasselbe ist wie eine Yacht."

„Sozusagen."

Wieder küsst er mich. Dieses Mal etwas länger.

„Dann bist du also dabei?", fragt er leise. „Heute Abend? Nur du, ich und das Meer?"

„Ich bin für alle Schandtaten bereit."

Kapitel 10

„Nun sag schon, Kind, wer war dieser Mann? Und warum warst du so lange weg?"

„Papa, ich sage es dir noch einmal, ich bin kein Kind mehr." Ich lasse mir Badewasser ein, während er mir von der Tür aus Löcher in den Rücken starrt.

„Das ... das sollte ja auch kein Vorwurf sein, sondern nur eine Frage." Ich höre ihn leicht verlegen lachen. „Dieser Elian war einfach so nett, und da dachte ich, wenn das jetzt dein neuer Freund ist, dann ..."

Gerade als ich protestieren will, dass er nicht mein Freund ist, verstumme ich wieder. Was genau ist er eigentlich? Und was bin ich für ihn?

„Papa", ich drehe mich zu ihm um und setze mich auf den Badewannenrand. „Elian und ich, wir kennen uns noch nicht sehr lange. Und ich habe ehrlich gesagt keine Ahnung, was daraus wird. Tatsache ist, dass ich ihn Mama und dir zum jetzigen Zeitpunkt nie im Leben vorgestellt hätte. Aber weil du zur Zeit nun mal hier wohnst, hast du das eben mitbekommen."

„Ich falle dir also doch zur Last."

„Mann, Papa, kannst du mal bitte aufhören, so übersensibel zu sein? Du fällst mir nicht zur Last, wie oft soll ich dir das noch sagen?"

„Ist ja nicht so, dass ich dir hinterherspioniert habe oder so. Dieser Mann hat ja hier geklingelt."

„Ja, weil es *mein* Haus ist und er *mich* sprechen wollte. Dass er dabei auf dich trifft, konnte er ja nicht ahnen."

„Was soll das nun wieder bedeuten?"

„Das soll nichts bedeuten." Ich hole tief Luft. „Alles, was ich dir damit sagen will, ist, dass ich Mama und dir zum jetzigen Zeitpunkt noch nichts davon erzählt hätte, weil es sein kann, dass Elian und ich uns schon in einer Woche nicht mehr treffen. Und dann hättet ihr euch umsonst Gedanken über Enkelnamen und Hochzeitsplanung gemacht." Ich zwinkere ihm zu. „Deshalb gibt es jetzt auch absolut nichts, wovon ich dir berichten könnte, Papa."

„Ich glaube, du hast meine Frage völlig falsch verstanden", brummt er.

„Kann ja sein." Ich lege die Hände an seine

Arme. „Dann nutze meine Worte einfach schon mal vorab als Antwort für weitere Fragen dieser Art, okay?"

Seufzend lässt er sich neben mir auf den Badewannenrand fallen. „Ach, Kind, ich weiß doch selbst, dass ich im Moment ein bisschen anstrengend bin. Das muss daran liegen, dass ich einfach zu viel Zeit habe. Und außer dir habe ich doch gerade niemanden, auf den ich ... na ja ... achten kann."

„Hast du denn in letzter Zeit mal mit Mama gesprochen?", frage ich mitfühlend.

„Nein. Und du?"

„Nein, in den letzten Tagen nicht. Sie ist einfach so durch den Wind im Moment, da warte ich lieber darauf, dass sie sich meldet. Außerdem erfüllst du die Aufgabe des überfürsorglichen Elternteils derzeit so gekonnt", ich presse meine Schulter gegen seine, „da brauche ich nicht auch noch Mamas Fürsorge."

Sein Blick wandert ins Leere. „Durch den Wind, ja, das trifft es vermutlich ziemlich gut. Sie ist wirklich sehr durch den Wind zur Zeit. Ich glaube ja nicht wirklich daran, dass zwischen ihr und diesem Kerl nur eine rein platonische

Freundschaft besteht. Aber was spielt meine Meinung schon für eine Rolle? Sie hat mir deutlich genug gezeigt, was sie von mir hält."

„Weil du dich nicht genug um sie bemüht hast in den letzten Jahren. Der Job war dir immer wichtiger. Und wenn du einfach mal ein wenig um sie kämpfst? Lade sie in ein romantisches Restaurant ein, schick ihr Rosen – nur tu etwas!"

„Aber sie hat doch gesagt, dass sie ihre Ruhe will."

„Frauen sagen oft, dass sie ihre Ruhe wollen, wenn sie eigentlich insgeheim nur darauf hoffen, dass der Mann sich endlich bewusst wird, dass man nicht selbstverständlich ist und sich etwas ganz Besonders für sie überlegt."

„Meinst du?"

„Ich habe keine Ahnung, was in Mamas Kopf vor sich geht. Das wirst du wohl oder übel allein herausfinden müssen." Ich lege meinen Arm um seine Schulter. „Alles, was ich weiß, ist, dass ihr euch nie getrennt hättet, wenn du ihr auch nur halb so viel Aufmerksamkeit geschenkt hättest wie mir in den letzten Tagen. Ich meine, wann hast du mal für Mama frischen Eintopf gekocht?"

„Ob ich jetzt noch Lust darauf hätte, für sie

zu kochen, weiß ich nicht."

„Ich weiß nicht, wer es sein wird, Papa, aber einer von euch wird den ersten Schritt machen müssen, wenn es nicht endgültig aus sein soll zwischen euch beiden."

„Also, wenn du mich fragst, ist es ohnehin längst zu spät. Wahrscheinlich schläft dieser Kerl schon in unserem Bett."

„So ein Blödsinn!"

„Das sagst du so leichtfertig, aber so etwas hat es schon oft genug gegeben. Das kommt in den besten Ehen vor."

„Dafür hängt Mama viel zu sehr an dir und eurer Ehe."

„Das habe ich auch gedacht."

„Sie will sicher nur, dass du dich mehr ins Zeug legst, das ist alles." Ich stehe auf und lege ein Handtuch vor die Wanne. „So, und jetzt ist meine Sprechzeit leider vorbei, Papa. Ich habe heute noch einiges vor."

„Mit Elian?" Seine Augen leuchten.

„Papa!"

„Ist ja schon gut." Er geht zur Tür. „Ich bin schon weg. Sie zeigen heute Nachmittag einen Polizeiruf-Marathon. Siebziger und Achtziger

Jahre. Das waren noch Zeiten."

„Na dann: viel Spaß!"

„Den wünsche ich dir auch, Felinchen." Er dreht sich im Türspalt noch einmal um. „Und pass auf dich auf."

„Das tue ich doch immer, oder?"

Kapitel 11

Die Yacht scheint das Wasser in zwei Hälften zu teilen. Weiche Linien bilden sich vor uns, während wir die Insel nach und nach hinter uns lassen.

Mit seinen Händen am silbernen Bootslenkrad und den kräftigen Unterarmen, die unter seinem hochgekrempelten Hemd sichtbar werden, strahlt er eine Anziehung auf mich aus, der sich nur schwer zu widersetzen ist.

Ich lehne mich auf dem weißen Ledersitz neben ihm zurück und lasse meinen Blick über das Wasser gleiten, nur um ihn nicht anzustarren.

Fast ein Jahr ist es her, dass ich das letzte Mal Sex hatte. Hat mich die Leidenschaft am Strand derart überrascht, dass ich plötzlich an nichts anderes mehr denken kann? Oder ist es Elian selbst, *und zwar nur er*, der mich so durcheinanderbringt?

„Und?", fragt er, ohne vom Lenkrad aufzuschauen. „Hängt dir die Protzigkeit jetzt schon zum Halse raus?"

„Die Aussicht ist genauso wie von jedem anderen Boot. Aber falls es dich beruhigt", ich lache, „es gefällt mir. Groß, aber nicht zu groß. Elegant, aber trotzdem gemütlich. Besonders schnuckelig ist die Innenkabine mit den wunderschönen Holzdekorationen."

„Ich werde das Lob an meine Schwester weiterleiten."

„Ist sie für das Design verantwortlich?"

„Nicht nur auf der Yacht. Sie hat auch die komplette Inneneinrichtung unseres Hauses mitentwickelt. In solchen Sachen ist sie wirklich talentiert. Deshalb ist sie nur zwei Tage in der Woche in der Firma tätig, den Rest der Zeit richtet sie Häuser für befreundete Familien und Kunden ein."

„Das gefällt mir."

„Innenarchitektur?"

„Nein, dass ihr so fleißig seid. Ich meine, trotz der Tatsache, dass ..."

„... wir so viel Geld haben?"

„Na ja, so kann man es auch nennen."

„Meine Eltern waren immer sehr darum bemüht, uns nichts in den Hintern zu schieben. Das einzig Protzige in unserer Kindheit war unser

Haus. Was Spielsachen, Klamotten und Freizeitgestaltung anging, wurde streng darauf geachtet, dass wir nicht zu sehr verwöhnt werden. Das war vor allem meinem Vater immer sehr wichtig. Meine Mutter war dem Luxus schon eher zugetan. Aber mein Vater", auf seine Lippen stiehlt sich ein warmes Lächeln, „dem war es immer besonders wichtig, dass wir nichts für selbstverständlich nehmen und immer mit beiden Beinen auf dem Boden bleiben. Wir sollten niemals vergessen, dass gutes Geld seine Wurzel in harter Arbeit hat." Er sucht meinen Blick. „Er würde dir glaube ich sehr gefallen. Und vor allem: Du würdest *ihm* gefallen. Schon allein, weil du Millionäre hasst."

„Ich hasse keine Millionäre. Wie könnte ich? Ich verdiene doch mein Geld damit, indem ich über sie schreibe. Ich habe nur eben ein paar ... Vorurteile. Zumindest hatte ich die."

„Und jetzt?"

„Jetzt habe ich zumindest dir gegenüber keine mehr."

Er richtet den Blick wieder aufs Wasser. „Das ist schön zu wissen."

Eine Weile breitet sich ein angenehmes

Schweigen zwischen uns aus, das nur durch das leise Surren des Bootes und dem weitentfernten Kreischen der Möwen durchbrochen wird.

Verrückt, dass das Meer aus dieser Perspektive wie das Motiv einer Postkarte wirkt und ich mich nicht wie eine Einheimische, sondern eher wie eine Touristin fühle.

„Wir sind gleich da", sagt er.

„Was meinst du damit? Ist der Ausflug schon zu Ende?"

„Ich hatte ein ganz bestimmtes Ziel vor Augen, als ich dich eingeladen habe."

„Und das wäre?"

„Unser kleines Ferienhaus am Rande von Wismar."

Mein Blick wandert zu einem würfelartigen Holzhaus mit eigenem Steg und Dachterrasse. Das einzige Haus am Ufer, klein, aber wunderschön.

„Das da?" Ich nicke zum Steg herüber.

„Das ist es, ja. Ich bin oft hier, wenn ich eine kleine Auszeit brauche. Kein Ort erdet mich mehr."

Er bringt das Boot neben dem Steg zum Halten.

„Ich mache die Yacht nur schnell fest, dann

kann ich dir alles zeigen."

Neugierig folge ich ihm vom Deck bis zum Steg, wo ich die Augen für einen Moment schließe und tief einatme.

Wie friedlich hier alles scheint. So unberührt.

Bin ich wirklich noch immer in meiner eigenen Heimat?

Als ich die Augen wieder öffne, fällt mein Blick erneut auf das niedliche Häuschen. Eine Bescheidenheit, die mich gerade deshalb so beeindruckt.

„Komm." Er reicht mir seine Hand. „Du wirst es sicher mögen."

Das erste Zimmer hinter den beiden Stufen scheint das Wohnzimmer zu sein, in dem sich gleichzeitig auch eine kleine Kochnische befindet. Ebenso gemütlich wie die Lage des Hauses.

Holzumrahmte Sofas mit cremefarbenem Bezug. Tiefe Wandregale, die den Raum in Kombination mit der niedrigen Decke noch heimeliger wirken lassen. Aquarelle mit Strandlandschaften.

Ich lasse mich mit seligem Lächeln auf das kleine Sofa neben der Tür fallen. „Es ist wunderschön, Elian. Wirklich."

Er setzt sich auf die Sofakante neben mir. „Verstehe ich das richtig, dass ich dich nicht mit meiner Villa beeindrucken konnte, dafür aber umso mehr mit diesem winzigen Häuschen?"

„Das war doch dein Plan, oder?", antworte ich mit einem Augenzwinkern. „Wärst du sonst mit mir hergekommen?"

„Ich bin vor allem deswegen hier, weil ich diesen Ort liebe. Und weil ich gehofft hatte, dass es dir vielleicht ebenso geht."

Ich betrachte den kleinen Raum mit einem Gefühl von Vertrautheit.

„Ich liebe es hier. Es ist", ich halte kurz inne, „wunderschön." Ich lege meine Hand auf seine. „Wirklich, Elian."

Ich bemerke den Blick, mit dem er die Berührung meiner Hand registriert.

„Alles in Ordnung?", frage ich.

„Ja, alles … in … Ordnung."

Ich sehe seine Hand, die sich langsam meiner Wange nähert und mich sanft am Nacken berührt. Er beugt sich zu mir herüber und küsst mich so warm und leidenschaftlich, dass ich völlig vergesse, was sich gehört.

Aber wer bestimmt, was sich gehört? Und wer sagt, welcher Schritt zu welchem Zeitpunkt der richtige ist?

Ehe ich mich versehe, sitzt er neben mir, die Hand in meinem Haar, während er mich noch fordernder, noch intensiver für einen Kuss an sich reißt.

„Du bist so wunderschön", flüstert er. „Ich muss mich zusammenreißen, dich nicht unentwegt anzustarren."

„Pass auf, was du sagst." Ich lache leise. „Vielleicht bin ich ja doch eine geldgeile Schlange, deren einziges Ziel es ist, deinen Kopf zu vernebeln."

„Das Risiko muss ich wohl eingehen." Er presst seine Lippen so fest an meinen Hals, dass ich seine Zähne spüren kann. Ein Gefühl, das mich nur noch mehr in Fahrt bringt.

Gedankenverloren beginne ich, sein Hemd aufzuknöpfen, nur um schon nach der Hälfte die Geduld zu verlieren und es einfach über seinen Kopf zu zerren.

Ich spüre den Ansatz eines Sixpacks, den ich beim ersten Mal vor lauter Aufregung gar nicht realisiert hatte.

Sein durchtrainierter Unterleib macht mich nur noch hemmungsloser.

Er zieht den Träger meines Kleides herunter und küsst meine Schulter, während ich meinen Körper instinktiv an ihn presse. Eine Bewegung, die meine Erregung ins Unermessliche steigert.

Er schiebt mein Kleid hoch, während ich mit schnellem Atem seine Hose öffne.

Seine Zunge gleitet von meinem Bauchnabel bis zu meinen Oberschenkeln. Zärtlich und doch mit Nachdruck. Fordernd und doch voller Geduld, als hätten wir alle Zeit der Welt.

Ja, vielleicht haben wir sie wirklich auf unserer Seite, die Zeit. Und mit etwas Glück bleibt sie genau hier, genau jetzt für immer stehen.

Kapitel 12

Das Sofa ist gerade breit genug für uns beide. Ich liege halb auf seiner Brust, halb in seiner Armbeuge, als ich die Augen öffne.

Er hat eine aschgraue Wolldecke über uns ausgebreitet, die unsere nackten Körper bedeckt, doch alles, was ich spüre, sind seine warmen Füße an meinen, während er wie ein Baby schläft.

Wie unschuldig er aussieht. So unschuldig und doch so männlich.

Ob er gerade von mir träumt? Nach diesem Sex kann er eigentlich von nichts anderem träumen.

Allein beim Gedanken daran muss ich grinsen.

Ich streiche mit dem Finger zaghaft über seinen Handrücken, als er langsam die Augen öffnet.

„Hallo schöne Frau." Er strahlt, als er mich sieht, als hätte er vergessen, dass es wirklich kein Traum war.

„Hallo Mister", antworte ich frech. „Darf

ich vorstellen? Mein Name ist Cassidy Pink. Erinnern Sie sich an mich? Sie haben mich letzte Nacht in einer Strip-Bar aufgegabelt und für den Spottpreis von einer Million Euro verspreche ich Ihnen, keine intimen Details über unser Techtelmechtel an die Presse zu verkaufen. Na? Klingt das nach einem klugen Deal?"

„Hallo Cassidy." Er küsst meine Stirn. „Mit niemandem würde ich lieber einen Deal eingehen als mit Ihnen."

„Na dann", ich ziehe die Decke hoch und riskiere einen Blick darunter, „würde ich sagen, wir tüfteln noch ein wenig an den Verhandlungen. Was meinst du? So ein Deal will gut durchdacht sein."

„Ach, du heilige Scheiße! Was macht ihr denn hier?"

Eine Frauenstimme, die von der Türschwelle zu uns dringt, lässt mich unweigerlich aufschrecken. Mit der Decke vor der Brust sitze ich plötzlich kerzengerade auf dem Sofa, während Elian panisch versucht, seinen Prachtkörper unter dem Rest der Decke zu verstecken.

„Natascha!", stammelt er. „Das könnte ich ... ähm ... dich genauso fragen."

„Du hast gar nicht gesagt, dass du herkommst." Sie lässt ihre Handtasche auf den Sessel fallen.

„Seit wann erstatte ich dir über jeden meiner Schritte Bericht?", antwortet er.

„Ich wollte heute Nacht hier über... Oh mein Gott." Sie hält die Hände vor den Mund, als sie mich erkennt. „Du bist mit Felina Merineit hier. Ich glaub's ja nicht."

Jubelnd stürmt sie zum Sofa und setzt sich neben mich.

Instinktiv ziehe ich die Decke ein Stück höher.

„Ähm ... hallo Natascha", stottere ich. „Schön, dich ... ähm ... wiederzusehen."

„Weißt du, dass ich dein neues Buch liebe, Felina? Wenn man das mit der Nanny hört, denkt man erst mal: *Boah, voll das Klischee*. Aber dann ... ich meine, die Nanny hat's echt drauf, finde ich. Du überraschst mich immer wieder mit deinen Geschichten, weißt du das?"

„Du überraschst mich ... ähm ... auch irgendwie." Ich quäle mir ein Lächeln ab.

„Sag mal, merkst du noch was?", faucht Elian Natascha an, während er umständlich versucht, seine Shorts unter der Decke anzuziehen. „Falls es dir noch nicht aufgefallen ist, es ist gerade ein etwas ungünstiger Zeitpunkt für einen Small Talk über Bücher."

„Ist ja schon gut, Bruderherz." Natascha steht wieder auf. „Ich brauchte einfach einen ruhigen Ort zum Abschalten. Bisschen lesen, Liebesfilme anschauen, Eiscreme-Marathon."

Elian, mittlerweile in Shorts, kommt unter der Decke hervor und greift nach seinem Hemd. „Ich dachte, du bist mit diesem Xavier unterwegs."

„Ehrlich gesagt ist er der Grund, warum ich jetzt allein sein wollte."

„Ärger im Paradies?", fragt Elian.

„Vergiss den Arsch!" Sie macht eine wegwerfende Handbewegung. „Viel wichtiger ist doch, dass wir jetzt alle hier sind."

Sie lässt sich wieder aufs Sofa fallen und grinst mich freudestrahlend an. „Und falls dir das hier irgendwie peinlich sein sollte, Felina, kann ich das sicher übertrumpfen. Stell dir vor, mein Vater hat mich mal in flagranti mit meinem damaligen Freund erwischt. Ich meine, mittendrin, nicht danach oder so ..." Sie lacht laut auf.

„Natascha!" Elian wird lauter.

„Ist ja schon gut." Sie steht wieder auf. „Felina stört sich nicht so sehr an meiner Anwesenheit wie du. Siehst du, sie lächelt sogar."

„Weil sie viel zu höflich ist, dir zu sagen, dass du ziemlich aufdringlich bist."

Seufzend lässt Natascha die Arme sinken. „Tut mir leid, Leute. Ich bin im Moment wohl nicht ich selbst. Ich meine, ich dachte, das mit Xavier könnte echt was werden. Und jetzt stehe ich irgendwie ein bisschen ... naja ... neben mir."

„Ich habe dir gleich gesagt, dass der Kerl wie alle anderen ist."

„Wenn ich immer auf dein Urteil vertrauen würde, hätte ich niemals Spaß im Leben."

Elian reicht mir mein Kleid, das ich umständlich unter die Decke ziehe, nur um zu merken, dass ich es nicht anziehen kann, ohne dass Natascha noch mehr von mir zu sehen bekommt als zwei nackte Arme und den Ansatz meiner Brust.

Natascha lehnt sich gegen die Wand, während sie sich bemüht, mich nicht direkt anzusehen. „Zieh dich ruhig an, Felina. Ich mach auch die Augen zu. Versprochen!"

„Ich habe eine bessere Idee", sagt Elian.

„Wie wäre es, wenn du einfach nach draußen verschwindest, bis Felina fertig ist? Oder noch besser, nach Hause?"

„Ist schon okay." Ich schaue zu Elian, der sich wieder neben mich gesetzt hat. „Wenn es ihr doch nicht so gut geht im Moment. Also, ich habe kein Problem damit, wenn sie bei uns bleibt."

„Siehst du, Elian", Natascha lacht triumphierend, „Felina ist nicht so unhöflich wie du."

„Wenn hier jemand unhöflich ist, dann du, liebes Schwesterchen."

„Okay okay, ich geh ja schon raus. Hab eh was im Auto vergessen. Aber wenn ich wiederkomme, schiebe ich uns eine leckere Pizza in den Ofen. Na, wie wär's?"

Elian rollt mit den Augen.

„Tut mir leid", flüstert er mir zu.

„Warum denn?", entgegne ich leise. „Um ehrlich zu sein, hätte ich schon Lust auf eine kleine Kalorienbombe. Irgendetwas", ich grinse vielsagend, „hat mich sehr hungrig gemacht."

Nun muss auch Elian lachen.

„Also, Freunde, wir sehen uns gleich wieder", jubelt Natascha, als sie die Tür öffnet.

„Und dann hat jeder von uns was an, okay?"

Kapitel 13

„Das hat sie nicht getan!"

„Wenn ich es dir doch sage, Marina. Wir waren splitternackt und sie hat sich einfach neben mich gesetzt."

„Und wo bist du jetzt?"

„Gerade heimgekommen. Wir haben noch zusammen gefrühstückt, aber ich musste nach Hause, bin doch nachher noch mit meiner Mutter verabredet."

„Mit deiner Mutter? Hast du gerade von deiner Mutter gesprochen?"

„Papa, ich telefoniere gerade mit Marina."

„Aber wann hast du dich mit deiner Mutter verabredet? Hat sie dich angerufen? Ist irgendetwas passiert?"

„Papa, bitte. Ich telefoniere grad."

„Ist ja schon gut. Man wird ja wohl noch fragen dürfen. Brauchst du noch lange im Bad?"

„Ich telefoniere, Papa!!!"

„Im Bad?"

„Ja, im Bad. Weil es das einzige Zimmer

ist, in dem ich im Moment meine Ruhe habe. Dachte ich zumindest."

„Aber nachher, nachher erzählst du mir doch noch, wo ihr verabredet seid, ja? Du und Mama, meine ich."

„Papa! Könntest du jetzt bitte von der Tür verschwinden? Ich will in Ruhe mit Marina reden."

„Bin ja schon weg."

„Nun erzähl schon, Felina. Ich will alles wissen. Ihr wart also mit der Yacht dort?"

„Ja, es war zwar nur eine kurze Fahrt, aber trotzdem wunderschön."

„Nicht zu protzig für Misses Ich-brauche-keinen-reichen-Kerl?"

„Ach, nun hör schon auf, ich war doch nur am Anfang skeptisch, das ist alles."

„Skeptisch ist aber noch sehr untertrieben."

„Ich weiß. Aber mittlerweile habe ich mitbekommen, dass Elian sehr viel bodenständiger ist, als man auf den ersten Blick denken könnte. Hast du gewusst, dass seine bisherigen Beziehungen vor allem daran gescheitert sind, dass die Frauen nur auf sein Geld aus waren?"

„Na ja, keine wirkliche Überraschung, oder?"

„Nein, aber ich finde es trotzdem schön zu wissen, dass er gewisse Anforderungen an eine Frau stellt, also, was den Charakter betrifft."

„Na, da ist er ja bei dir an der richtigen Adresse, oder?"

„Ich hoffe doch."

„Klingt danach, als würde es langsam ernst zwischen euch werden. Ha, verrückt! Eine Autorin bekannter Millionärromane lässt sich auf echten Millionär ein."

„Was nicht geplant war, wie du weißt."

„Wie auch immer ... wie ging es dann mit Natascha weiter?"

„Na ja, es war schon sehr peinlich. Kannst du dir ja sicher denken. Aber weißt du, auch wenn es seltsam klingt, ich hatte in ihrer Gegenwart irgendwie von Anfang an das Gefühl, als seien wir so etwas wie ..."

„Schwestern?"

„Ja genau. Klingt das verrückt?"

„So was soll's geben."

„Sie plappert drauf los wie ein kleines Kind

und trägt doch so viele tiefe Emotionen in sich, wie man sie einer Tochter aus reichem Hause gar nicht zutrauen würde."

„Also doch kein Paris-Hilton-Verschnitt."

„Dann müsste sie sich schon sehr verstellen, wenn es so wäre."

„Und ihr habt dann echt Pizza zusammen gegessen?"

„Und Pretty Woman geschaut. Sie liebt den Film."

„In dem ein Millionär die Hauptrolle spielt."

„Ganz genau. Aber nicht deshalb. Sie liebt das Aufeinandertreffen verschiedener Welt – im Film und auch im echten Leben. Aber gerade deshalb ist es auch so schwer für sie, den richtigen Mann zu finden."

„Sie ist doch noch so jung, oder?"

„Dreiundzwanzig."

„Da hat sie noch ihr ganzes Leben Zeit für den Richtigen. Aber jetzt mal unter uns, Süße, ihr legt ja ein ganz schönes Tempo vor, ihr zwei."

„Ich weiß. Ich hätte es ja selbst nie für möglich gehalten. Aber wenn es sich richtig anfühlt, dann ...".

„... fühlt es sich eben richtig an."

„Ganz genau!"

„Ach, ich freue mich doch für dich. Ich bin einfach nur überrascht."

„*Felinchen. Entschuldige bitte, aber liegt meine Armbanduhr neben dem Waschbecken?*"

„Ich bringe sie gleich mit raus, Papa. Wenn du so dringend wissen musst, wie spät es ist, schau auf die Küchenuhr."

„Dein Vater ist echt der Hammer."

„Er steht einfach neben sich im Moment."

„Drück ihn von mir."

„Mach ich. Ich leg jetzt auf, okay? Wir bleiben in Kontakt."

Kapitel 14

Solange ich denken kann, haben mich meine Eltern mit in den Wildpark nach Güstrow genommen. Noch immer habe ich die Worte meines Vaters im Ohr: „Gegen diese kilometerweiten Gehege sind andere Zoos kleine Hühnerställe."

Heute sind es jedoch nicht wir drei, sondern nur meine Mutter und ich, die sich über Kletterpfade, durch Wurzeltunnel und begehbare Wolfshöhlen im riesigen Gehege mit Kameras und viel Gesprächsstoff fortbewegen.

„Dein Vater und ich sind nach all den Jahren noch immer jeden Sommer hier", sagt meine Mutter, während sie vom Turm aus versucht, einen der Wölfe zu fotografieren.

„Versteh schon. Und weil du und Papa es nicht hinbekommt, euch wieder zu vertragen, schleifst du halt mich mit her, richtig?"

„Ich wusste nicht, dass es eine Strafe für dich ist, mit deiner eigenen Mutter einen kleinen Ausflug zu machen", antwortet sie beleidigt.

„So meine ich das nicht, Mama." Ich beuge mich über die Umrandung und schaue ins Gehege hinab. „Ich verstehe nur nicht, warum ihr euren gemeinsamen Jahresurlaub nicht auch gemeinsam verbringt – so wie jedes Jahr."

„Felina, fang bitte nicht schon wieder an."

„Was heißt hier, schon wieder? Wir haben doch bisher noch gar nicht richtig über das Thema gesprochen."

„Da gibt es auch nichts zu bereden. Solange dein Vater nicht endlich realisiert, dass ich ein Mensch aus Fleisch und Blut bin und keine kostenlose Putze und Köchin, soll er bleiben, wo der Pfeffer wächst."

„Ich wusste gar nicht, dass in meinem Haus der Pfeffer wächst."

„Wenn er dir zu Last wird …"

„Mensch, Mama, du bist ja schon genauso empfindlich wie Papa. Man muss sich im Moment echt jedes Wort zweimal überlegen, das man in eurer Gegenwart ausspricht."

„Und wenn schon", sie zuckt mit den Schultern, „es ist halt eine Zeit des Umbruchs, da darf man schon mal emotional reagieren."

„Natürlich dürft ihr das. Aber nur, wenn

ihr auch etwas tut, um an der Situation etwas zu ändern."

„Du sagst das so leicht, Liebes. Du bist jung, erfolgreich, attraktiv – die ganze Welt steht dir offen. Aber was habe ich in meinem Alter schon vom Leben zu erwarten?"

„Ach, dann ist es jetzt auch Papas Schuld, dass du älter wirst?"

„Du hältst wieder mal nur zu deinem Vater. Das ist typisch."

„Mama. Merkst du eigentlich, was du da redest?"

Für einen Moment verstummt sie. Wie sie so dasteht, mit dem rotblonden, kinnlangen Haar, den blassen Wangen und den schmalen Schultern, wirkt sie irgendwie noch kleiner als sonst. Fast so, als bräuchten die beiden die Gegenwart des jeweils anderen, um wirklich vollständig zu sein – auch optisch.

Mit schwerem Atem setzt sie sich auf die kleine Holzbank vor dem Aussichtsturm. „Es tut mir leid, Felina. Im Moment bin ich wohl etwas anstrengend."

Ich setze mich neben sie. „Dein Vorteil ist, dass du nicht in meinem Gästezimmer wohnst. Du hast also nicht so viel Zeit, dich unbeliebt zu machen, wie Papa."

„Wie geht es ihm denn?", fragt sie vorsichtig.

„Na, wie soll's ihm schon gehen? Furchtbar natürlich. Er ist ohne dich einfach nicht er selbst."

„Weißt du, was das Schlimme ist?" Sie räuspert sich bedeutungsschwer. „Dass ich wohl oder übel akzeptieren muss, dass meine Hoffnungen, er könnte seine Lehren aus alledem ziehen, vergebens sind."

„Kommt drauf an, welche Lehren du dabei im Sinn hattest."

„Ach, komm schon, Kleines, du weißt ganz genau, was ich meine. Jeder Tag unseres Lebens läuft gleich ab. Er kommt erst abends nach Hause, das Essen steht auf dem Tisch und danach schauen wir zusammen fern. Und wenn ich es mal wagen sollte, mit einer Freundin unterwegs zu sein und ihm was zum Aufwärmen hinstelle, redet er den ganzen Abend kein Wort mit mir."

„Findest du nicht, dass du übertreibst? Ihr seid doch auch oft zusammen unterwegs gewesen. Strandspaziergänge, Ausflüge in den Wildpark. Und denk an die Blumenausstellung, die habt ihr immer so gern zusammen besucht."

„Das waren doch alles nur Ausnahmen. Ich brauche einfach auch im Alltag etwas Farbe. Ist das denn so schwer zu verstehen?"

„Natürlich nicht, aber du misst Papas Launen einfach viel zu viel Bedeutung bei. Wenn er schlecht gelaunt ist, weil du mal mit einer Freundin unterwegs bist, dann lass ihn in Ruhe vor sich hin brummen und ignoriere ihn einfach. Dann regt er sich schon wieder ab. So mach ich es auch immer. Wenn du allerdings immer darauf anspringst, fühlt er sich nur im Recht. Kein Wunder, dass er nicht damit gerechnet hat, dass du ihn verlassen könntest."

„Aber das ist es ja gerade: Ich will ja gar nicht mit einer Freundin was unternehmen. Hin und wieder, klar. Aber viel lieber würde ich doch auch mal mit deinem Vater spontan ins Kino gehen oder romantisch essen."

„Hast du ihm das denn noch nie gesagt?"

„Das ist es ja gerade, ich will nicht, dass er das mir zuliebe tut. Dann kommt er mit und zieht den ganzen Abend ein miesepetriges Gesicht. Er soll von selbst darauf kommen."

„Papa? Du kennst ihn doch. Er denkt,

wenn er es schön findet auf dem Sofa, geht es anderen genauso."

Seufzend hebt sie die Kamera, um erneut ein Foto zu schießen und senkt sie schon im selben Moment wieder.

„Ich denke mal, dass er längst einen Schritt auf dich zugegangen wäre, wenn dieser andere Kerl nicht wäre."

„Welcher andere Kerl?"

„Du weißt genau, wen ich meine."

„Felix?" Sie lacht. „Das ist doch lächerlich. Und das habe ich deinem Vater auch mehrfach gesagt."

„Vermutlich hast du es nicht glaubhaft genug rübergebracht. Papa fühlt sich in seinem Stolz verletzt, was ich sogar irgendwie verstehen kann."

„Aber Felix ist wirklich nur ein Freund. Und so schwul, wie ein Mann nur sein kann."

„Er ist ... schwul?"

„Ja, aber einer von der Sorte, die sich niemals outen, vor allem nicht mal vor sich selbst. Traurig ist das. Aber wann immer ich auf das Thema Outing komme und ihn dazu ermutigen will, fängt er an, vom neuen Nicholas Sparks zu reden. Mal ehrlich, welcher Mann liest Bücher von Nicholas Sparks?"

„Na, dann ist ja alles palletti."

„Nichts ist palletti. Ich werde deinem Vater nicht nachlaufen, wenn es das ist, was du meinst."

„Nein, das meinte ich nicht. Was ich sagen wollte, war ..."

„Lass uns jetzt das Thema wechseln, Süße." Sie legt ihre Hand auf meine. „Was gibt es Neues? Wie laufen die Verkäufe?"

„Ganz gut. Wirklich. Wobei ich sagen muss, dass das Schreiben zur Zeit etwas zu kurz kommt."

Ohne es zu wollen, schleicht sich ein verräterisches Grinsen auf meine Lippen.

„Also schön, du bist ertappt: Wie heißt er?"

„Elian."

„Elian. Das klingt aber sehr elegant. Wie sieht's denn mit seinen Schwiegersohn-Qualitäten aus?"

„Mama, ich habe ihn doch gerade erst kennengelernt."

„So etwas weiß man sofort. Glaube mir."

„Also, es mag dich überraschen, aber wenn mir ein Mann gefällt, denke ich nicht als Erstes darüber nach, was wohl meine Mutter zu ihm sagen würde."

„Na, das ist jetzt aber eine schwere Enttäuschung." Sie lacht. „Aber ich verzeihe dir, wenn du mir versprichst, dass du es vorsichtig angehst und dich von niemandem mehr ausnutzen lässt."

„Ich habe aus der Vergangenheit gelernt, das kann ich dir versprechen."

„Wenn ich nur an diesen Kenny denke, wird mir ganz anders."

„Dem ist nur sein Erfolg an der Werft zu Kopf gestiegen. Aber nicht alle erfolgreichen Männer sind auch untreu, falls du das meinst."

„Was soll das heißen?"

„Na ja, dass Elian ein Mitglied der Radloff-Familie ist. Du weißt schon, Radloff-Fisch."

„Etwa die Radloffs aus Timmendorf?"

„Ganz genau die."

„Nicht zu fassen. Wie bist du denn an den geraten?"

„So genau habe ich das selbst noch nicht verstanden. Aber man könnte wohl eher sagen, dass er an *mich* geraten ist."

„Wie meinst du das?"

„Das ist eine lange Geschichte."

„Ich liebe lange Geschichten. Vor allem, wenn sie mich von meine eigenen ablenkt."

Kapitel 15

Ich sitze mit ausgestreckten Beinen auf dem riesigen Bett, den ausgeklappten Laptop auf meinen Knien, während meine Finger über die Tastatur fliegen.

Durch das angewinkelte Fenster dringt das aufgeregte Zwitschern der Vögel, die sich auf den schweren Ästen der riesigen Eiche versammelt haben, während die salzige Ostseeluft das Zimmer in eine Ahnung von Meer taucht.

Wer hätte gedacht, dass ich in einem Haus, das nicht mein eigenes ist, derart gut schreiben kann?

Er setzt sich hinter mich, schiebt seine Beine links und rechts von mir aufs Bett und umschließt meine Taille mit beiden Händen. Mit dem Kinn auf meiner Schulter liest er laut vor: „Das Rauschen der Wellen, die den Sand in weichen Zügen zu streicheln scheinen, verschwimmt zu dem Geräusch eines Traumes. Ja, es muss ein Traum sein, eine andere Erklärung gibt es nicht. Wie sonst lässt es sich erklären, dass ausgerechnet ich all meine Hemmungen fallen lasse? Ich, die sonst immer alles unter Kontrolle hat? Das kann unmöglich Realität sein."

Als er verstummt, drehe ich mich mit fragendem Blick zu ihm um. „Zu kitschig?"

„Nur für diejenigen, die das Gefühl nicht kennen."

„Ich frage mich, was wohl Mister Elian R. davon halten wird", sage ich lachend.

„Elian R.? Was ist denn das für ein Typ?"

„Ach, den kennst du nicht. Ist so ein nerviger Kerl, der ständig meine Bücher rezensiert und sich darüber beschwert, dass ich keine Ahnung davon habe, wie es im echten Leben eines Millionärs aussieht."

„Wirklich?"

Ich nicke. „Stell dir vor, er schreibt zu jedem meiner Bücher, wie unrealistisch es ist und liest dann sofort das nächste, um auch darüber zu meckern. Ist doch krank, oder?"

„Also, wenn du mich fragst, klingt das nach einem ziemlichen Loser."

Lachend lehne ich mich gegen ihn.

Ich spüre seine Hände an meinem Bauch, warm und binnen kürzester Zeit seltsam vertraut.

Ist es möglich, dass ich mich bereits nach wenigen Tagen so sicher in seiner Nähe fühle? Sicher und auf gewisse Weise beschützt?

„Weißt du, wie man Loser wie diesen Elian R. am besten vergessen kann?", beginnt er nach einer Weile.

„Du wirst es mir sicher jeden Moment verraten."

„Indem man sich kopfüber in die Fluten stürzt und einfach mal gar nichts tut – außer eben Spaß zu haben." Er küsst meinen Nacken. „Jede Menge Spaß."

„Wenn man jetzt nur einen Strand in der Nähe hätte."

„Also, von unserem Hinterhof aus sind es genau hundert Meter bis zum Wasser. Klingt das nach einem überwindbaren Fußweg?"

„Wenn du dafür mein Kapitel zu Ende schreibst."

„Ich mache dir einen Vorschlag: Du gehst mit mir schwimmen und dafür stürze ich mich danach kopfüber in die Arbeit für die nächste Werbekampagne und lass dich in Ruhe schreiben."

„Abgemacht." Ich klappe den Laptop zu.

„Erst das Vergnügen, dann die Arbeit."

„Die Reihenfolge gefällt mir."

Kapitel 16

„Du hast mir ja gar nicht gesagt, dass ihr hier hinten einen eigenen Steg habt." Ich schmeiße ihm einen Schwung Wasser ins Gesicht.

„Ein paar Überraschungen musst du mir schon eingestehen", antwortet er, während er mit doppelt so viel Wasser zurückschlägt.

„Ich weiß nicht, wann ich das letzte Mal in Unterwäsche im Meer war", antworte ich.

„Wen interessiert das schon? Niemand wird uns hier sehen."

„Wie meinst du das?"

Erst jetzt fällt mir auf, dass weit und breit tatsächlich niemand zu sehen ist, und das, obwohl es Mittag und somit zumindest von der Temperatur her die perfekte Zeit für ein Bad in den Wellen wäre.

Mit einem einzigen Zug unter Wasser kommt er auf mich zu geschwommen, taucht unter und küsst meinen Bauchnabel. Als er wieder auftaucht, umfasst er mit übermütigem Lachen meine Hüfte. „Ganz einfach. Das hier ist unser

Privatstand." Er nickt rüber zu mehreren Holzpfählen, die nicht weit vom Steg einen Teil des Strandes vom Rest abtrennen.

„Tatsächlich? Ich wusste gar nicht, dass es auf der Insel so etwas gibt."

„Es ist nur ein kleines Stück."

„Ich wette, die Leute hassen euch dafür."

„Über so etwas mache ich mir keine Gedanken." Er schiebt seine Finger zwischen meine. „Mich interessiert nur, dass die Frau, die mir am Herzen liegt, keine schlechte Meinung von mir hat."

In seinen Augen kann ich sehen, dass er meint, was er sagt.

„Die Frau, die dir am Herzen liegt?" Ich zwinkere ihm zu.

Er nickt. „Deine Meinung ist mir wichtig."

„Gut zu wissen."

Ich werfe mich rücklings ins Meer und mache ein paar Züge im Rückenschwimmen, während meine Füße abwechselnd aus dem Wasser ragen.

Elian wirft sich ebenfalls ins Wasser und erreicht mich schon in wenigen Zügen.

Direkt neben mir setzt er sich auf den

Meeresboden, der nicht mal einen halben Meter unter uns liegt. Seine plötzliche Nähe bringt mich dazu, mich ebenfalls zu setzen.

Die Art, wie er mich ansieht, macht nur allzu deutlich, dass ihm das, was er sagen will, ernst ist. Er öffnet den Mund, schließt ihn jedoch im selben Moment wieder. Hat er denn noch immer nicht begriffen, dass ihm vor mir nichts peinlich sein muss?

„Alles in Ordnung?", frage ich.

„Ja. Ja, natürlich." Er streicht einen Wassertropfen von meiner Wange. „Es ist nur …"

„Was?" Sein Stammeln verunsichert mich.

„Unter anderen Umständen würde ich so etwas niemals sagen und mich niemals derartig bloßstellen. Zumindest nicht nach so kurzer Zeit."

„Unter anderen Umständen? Worauf willst du hinaus, Elian?"

Er rückt ein Stück näher, bis er schräg vor mir sitzt, so nah, dass ich das Wasser auf seiner Haut sehen kann und wie die Mittagssonne es wie kleine Perlen zum Funkeln bringt.

„Vielleicht war ich in meinen Rezensionen so hartnäckig, weil ich tief in mir geahnt habe, welche Frau trotz meiner Vorurteile in dir steckt.

Aber seitdem ich dir live und in Farbe gegenüberstand, ist das Chaos in mir perfekt."

„Das tut mir leid. Ich wollte dich nicht", ich neige den Kopf zur Seite, „durcheinanderbringen."

Er umschließt meinen Kopf mit seinen Händen und lässt sie sanft auf meine Schultern gleiten.

„Du verstehst das falsch", sagt er. „Ich bin dir dankbar für das Chaos, Felina. Sehr sehr dankbar."

„Na dann."

Ich lächle, doch anstatt mein Lächeln zu erwidern, wird sein Blick noch ernster. Die Worte, die ihm auf der Zunge liegen, scheinen viel Gewicht zu haben.

„Ich weiß, dass es zu früh dafür ist und dass du vielleicht glauben könntest, dass ich so etwas leichtfertig auch anderen sage, aber", jetzt lächelt er doch, „ich liebe dich, Felina. Ich glaube, ich habe mich wirklich in dich verliebt."

Ich möchte etwas erwidern, meinen Verstand einschalten und ihm die Befürchtung nehmen, dass mich sein Geständnis irritieren könnte, doch alles, wonach ich mich sehne, ist die Gewissheit, ihn voll und ganz zu spüren.

Hier und jetzt.

Instinktiv lege ich meine Hand um seinen Nacken, ziehe ihn voller Entschlossenheit an mich heran und küsse ihn so leidenschaftlich, dass ich beinahe selbst vor meinem Mut erschrecke.

Ich spüre seine Zunge an meiner, seinen Atem so schnell, als wären wir gerade noch um unser Leben geschwommen.

Als sich meine Lippen wieder von seinen lösen, schleicht sich auch auf meinen Mund ein Lächeln.

„Wen interessiert es schon, ob es zu früh dafür ist?", antworte ich schließlich. „Wenn deine Gefühle für mich zu früh entstanden sind, dann geht mir das mit meinen Gefühlen für dich genauso."

Ich sehe die Erleichterung in seinem Blick.

„Ich bin verrückt nach dir", flüstere ich. „Und eigentlich kann es dafür nur eine Erklärung geben." Ich greife nach seiner Hand. „Liebe, verdammt nochmal."

„Liebe, verdammt nochmal", wiederholt er leise lachend.

Er presst sich an mich und umschlingt mich so fest mit beiden Armen, dass jedem seiner

Worte noch mehr Nachdruck verliehen wird.

„Lass uns abhauen", sagt er plötzlich.

„Abhauen?"

„Ja. Lass uns nach Paris fliegen, gleich morgen. Nur du und ich."

„Morgen?"

„Wer will es uns verbieten?"

„Ich habe ein Buch fertigzustellen, Elian."

„Und wer zwingt dich dazu?"

„Na ja, ich mich selbst irgendwie, um ganz genau zu sein."

„Dann beantrage bei dir selbst ein paar freie Tage."

„Ich brauche weder Paris noch eine andere tolle Stadt, um glücklich zu sein." Ich greife nach seinen Fingern und küsse seinen Handrücken, dann presse ich sie fest an meine Brust. „Ich bin einfach nur froh, in deiner Nähe zu sein. Genau hier und jetzt."

Eine Weile schweigt er, dann erhellt sich sein Gesicht. „Du hast recht. Paris kann mit unserem Paradies gar nicht mithalten."

Kapitel 17

„Der Tomatensalat ist ausgezeichnet, Felinchen."

„Freut mich, dass er dir schmeckt, Papa." Ich reiche ihm den Teller mit den Kroketten. „Noch etwas hiervon?"

„Immer mit der Ruhe, Liebes. Du weißt, dein alter Herr muss auf seine Linie achten."

„Totaler Schwachsinn. Du hast ohnehin schon viel zu viel abgenommen, seitdem ..."

„Seitdem ich bei deiner Mutter ausgezogen bin, du kannst es ruhig aussprechen."

Da ist er wieder, der gewisse Unterton des Mister Übersensibel. Doch an diesem Abend kann auch das Selbstmitleid meines Vaters meine Laune nicht verderben.

Elian hat mir seine Liebe gestanden. Und das Beste daran: Ich glaube ihm, und zwar von ganzem Herzen.

„Warum essen wir eigentlich nicht jeden Abend auf der Terrasse?", fragt Papa.

„Heute ist das Wetter einfach ganz

besonders schön", antworte ich. „Da dachte ich, es wäre eine gute Idee, ausnahmsweise mal mit Meeresrauschen im Nacken zu essen."

Ich muss mich zusammenreißen, nicht jede seiner Frage mit einem debilen Grinsen zu beantworten.

„Warum hast du nicht deinen netten Freund eingeladen?", fragt Papa.

„Elian?"

„Na ja", er schiebt sich eine Tomate in den Mund, „er wird doch auch essen müssen, oder? Warum dann nicht mit uns?"

Wie automatisch möchte ich protestieren und ihm wie üblich den Wind aus den Segeln nehmen, doch dann erwische ich mich selbst bei der Frage, warum ich mich eigentlich gegen etwas wehre, das sich so richtig anfühlt?

„Er musste noch etwas fürs Büro vorbereiten", antworte ich. „Auch, weil er wusste, dass ich heute noch schreiben muss. Aber wer weiß, vielleicht isst er ja schon morgen mit uns."

„Das wäre ja fantastisch. Er ist so ein lieber Junge."

„Junge ist wohl nicht die richtige Formulierung für ihn, Papa."

„Du weißt, was ich meine."

Das Läuten an der Tür unterbricht unsere Unterhaltung.

„Vielleicht ist er das ja schon", sagt er.

„Wer weiß?" Ich lächle vielsagend, während ich aufstehe und nach drinnen zur Tür gehe. Vielleicht hat er seine Arbeitspläne tatsächlich spontan über den Haufen geworfen? Womöglich ahnt er, dass ich sowieso keine einzige Zeile zustande gebracht habe.

Als ich die Tür öffne, ist es jedoch nicht Elians Gesicht, in das ich blicke.

„Guten Abend", begrüßt mich eine langbeinige Schönheit mit Porzellanteint und kinnlangem blondem Haar. „Felina? Felina Merineit?"

Ich bin verwirrt. „Die bin ich. Kennen wir uns?"

„Wir hatten bisher nicht die Ehre." Ihr Blick ist fest und unbeeindruckt. „Mein Name ist Carolin Karstensen."

„Hallo ... ähm ... sollte mir Ihr Name etwas sagen?"

„Besser wäre es", antwortet sie kühl.

„Ach ja? Und warum?"

„Weil ich Elians Verlobte bin."

Kapitel 18

Meine Welt ist aus den Fugen geraten.

Nur fünf kleine Worte haben ausgereicht, um mich innerhalb von Sekunden von Wolke sieben zu holen. Fünf Worte aus dem Mund einer Frau, die ich nie zuvor gesehen habe.

Weil ich Elians Verlobte bin.

Meine Hand liegt noch immer auf dem Griff der Eingangstür, während ich sie wortlos anstarre.

„Haben Sie denn gar nichts dazu zu sagen?", fragt Carolin mit unverwandtem Blick.

Ich schlucke mein Erstaunen herunter. Wer auch immer diese Frau ist, sie hat es nicht verdient, mich derart sprachlos zu erleben.

„Sie müssen sich irren", sage ich schließlich. „Elian ist nicht verlobt. Woher wissen Sie überhaupt, wo ich wohne?"

„Sie haben wirklich keine Ahnung, wer ich bin, oder?" Mit schallendem Gelächter betritt sie das Foyer.

„Ich kann mich nicht erinnern, Sie

hereingebeten zu haben", sage ich aufgebracht.

„Ich bin nicht nur Elians Verlobte, sondern praktisch ein Mitglied der Familie Radloff. Wenn ich Informationen brauche, beispielsweise den Wohnort einer Schnulzenautorin, wird es für mich kein Problem sein, auf dieser Insel gleich mehrere redselige Informanten zu finden, das sehen Sie doch ein, oder, Schätzchen?"

Mein Herz schlägt bis zum Hals. „Erstens bin ich nicht Ihr Schätzchen und zweitens scheinen Sie zu viel Parfüm inhaliert zu haben. Wenn Elian verlobt wäre, wüsste ich nämlich davon. Und jetzt darf ich Sie bitten, sofort meine Wohnung zu verlassen."

Wieder bricht sie in Gelächter aus, was mich nur noch wütender macht.

„Aber sicher doch, Kleines", antwortet sie. „Glauben Sie mir, ich habe nicht vor, auch nur eine Sekunde länger als nötig hier zu bleiben. Aber bevor ich gehe", sie zieht einen Umschlag aus ihrer Tasche, „erlauben Sie mir, Ihnen das hier zu geben."

„Was soll ich damit?", frage ich genervt.

„Schauen Sie sich den Inhalt in Ruhe an", antwortet sie mit selbstgefälligem Grinsen. „Ich könnte mir vorstellen, dass Sie dabei lieber allein wären, deshalb werde ich jetzt gehen. Eines möchte ich Ihnen aber noch raten ..."

„Moment mal", falle ich ihr ins Wort. „Wenn Ihre Verlobung mit Elian so unumstößlich ist, wie Sie sagen, wie kommt es dann, dass Sie sich extra die Mühe machen, hier aufzutauchen? Woher wissen Sie überhaupt von mir?"

Sie zieht den Gurt ihrer Handtasche etwas fester und kommt einen Schritt näher. So nah, dass ich den Duft ihres Shampoos wahrnehme.

„Die Antwort lautet Natascha", sagt sie. „Auch, wenn ich derzeit am Firmenstandort Rügen ansässig bin, stehe ich immer mal wieder in Kontakt mit ihr. Und jeder weiß doch, dass die liebe Natascha nichts für sich behalten kann. Sie denkt sich nichts dabei, weil für sie alles nur ein Spiel ist. Sie ist so herrlich unbeschwert. Aber wem erzähle ich das?"

Mein Blut scheint zu kochen. Wütend fauche ich sie an: „Was wollen Sie von mir?"

„Elian ist ein Mann von Welt", antwortet sie ruhig. „Wenn er sich bis zu unserer Hochzeit noch ein wenig austoben möchte, dann werde ich ihm das nicht verübeln. Eine Frau wie ich wäre niemals so naiv zu glauben, dass Männer zur Treue gemacht sind. Es gibt nur eins, was mir wirklich wichtig ist – und das ist Diskretion. Tja, und das, meine Liebe, haben Sie scheinbar nicht bedacht, als Sie sich wie ein liebestoller Teenie in den Fluten unseres Privatstrandes herumgetrieben haben."

„*Ihrem* Strand? Er gehört den Radloffs."

„Sie haben es immer noch nicht begriffen, oder?" Sie neigt den Kopf zur Seite und mustert mich mit gespieltem Mitleid. „Ich *bin* eine Radloff."

„Nein, das sind Sie nicht. Sie sind ..."

„Schauen Sie in den Umschlag, Süße." Sie wendet sich von mir ab und geht zur Tür. „Und jetzt schreiben Sie hübsch Ihre Büchlein weiter. Schließlich müssen Sie ja von irgendwas leben, wenn es mit dem reichen Ehemann schon nicht klappt."

Woher weiß sie, dass wir am Strand waren? Und kann es wirklich sein, dass Elian diese schreckliche Person kennt?

Tausend Fragen jagen mir durch den Kopf, während ich ihr hinterherschaue, wie sie zu ihrem Wagen stöckelt.

Nein, Elian hat mich nicht belogen. Das würde er nicht tun. Ich kenne ihn. Ich weiß, was er für mich empfindet. Das mit uns war kein Flirt, das war echt. Das *ist* echt.

Mit klopfendem Herzen öffne ich schließlich den Umschlag und ziehe eine Postkarte heraus. Als ich das Motiv erkenne, scheint die Welt um mich herum stillzustehen.

Elian in einem eleganten Anzug, der liebevoll den Arm um Carolin legt, die zweifellos so etwas wie ein Verlobungskleid trägt. Himmelblaue Seide, hochtoupiertes Haar und Perlen am Hals und an den Ohren.

Unter dem Foto steht in goldener Schrift:

„Die Familien Radloff und Karstensen sind stolz, zu verkünden, dass Elian Radloff und Carolin Karstensen am 17. September 2017 den ewigen Bund der Ehe schließen werden."

Der Rest des Textes verschwimmt vor meinen Augen, die sich langsam mit erniedrigenden Tränen füllen.

Sie hat recht. Diese aufdringliche Frau hat tatsächlich recht.

Kapitel 19

Als ich den Klingelknopf betätige, bin ich der festen Überzeugung, jeden Augenblick in tausend Teile zu zerspringen. Ungläubigkeit verschwimmt zu einer unbändigen Wut, nur um schon Sekunden später einer schweren Traurigkeit zu weichen.

Doch ich bin fest entschlossen, das Anwesen nicht ohne eine Antwort zu verlassen.

„Guten Morgen, Felina." Nataschas Stimme ist wie gewohnt fröhlich.

„Ist Elian da?", frage ich, unfähig, sie zu begrüßen.

„Nein, er ist schon im Büro."

Ich fahre mir mit den Fingern durchs Haar, lasse die Arme sinken und hebe sie wieder. Alles ist so verwirrend, jeder Gedanke scheint ins Leere zu führen.

„Soll ich ihn anrufen?", fragt sie, als mein Schweigen anhält.

„Nein. Ich meine ... das ist nichts für ein Telefonat, das ... das müssen wir persönlich besprechen."

Und wenn es seinen Grund hat, dass er nicht hier ist? Was, wenn es besser ist, dass ich ihm nicht in die Augen schaue, während ich diese schmerzlichen Fragen stellen muss?

„Ist alles in Ordnung?", fragt Natascha.

Seufzend ziehe ich schließlich die Karte aus meiner Tasche und gebe sie ihr.

„Ist das echt?", frage ich, während mein Herz bis zum Hals schlägt.

Natascha senkt den Blick auf das Bild. „Ja, aber ..."

„Keine Fotomontage?", hake ich mit schnellem Atem nach.

„Nein." Es ist offensichtlich, dass ihr das Foto unangenehm ist.

„Du kennst diese Frau also?"

„Das ist Carolin, ja. Aber es ist nicht so, wie du denkst."

„Nein? Dann ist das hier etwa keine Hochzeitsankündigung?"

„Doch, aber wie gesagt, es ist nicht so, wie du denkst. Wir kennen die Karstensens schon ewig, sie verkehren in denselben Kreisen wie wir. Aber Elian ... er mag dich wirklich sehr."

„Oh verstehe. Die Ankündigung ist echt, aber Elian mag mich?"

„Wenn ich dir alles in Ruhe erklären darf, dann ..."

„Nicht nötig, ich weiß schon, wie der Hase bei euch läuft. Das ist so eine Art arrangierte Ehe, die nur auf dem Papier besteht und für offizielle Anlässe gut ist, richtig? Es geht um die Präsenz nach außen, während jeder Ehepartner hinter verschlossenen Türen seine kleinen schmutzigen Affären haben darf. Und wenn ich ganz viel Glück habe, darf ich eine dieser Affären sein."

„Aber so ist das nicht. Hör mal, wenn du mit Elian redest, dann wird er dir dasselbe sagen wie ich. Carolin und er, die Verlobung, das ist anders, als du denkst ..."

„Anders, als ich denke? Die bezaubernde Carolin hat mir bereits vor meiner eigenen Haustür erklärt, wie sie das Thema Beziehung und Ehe betrachtet. *Anders* trifft es wohl ziemlich genau. Sie hat mir ja fast schon erlaubt, mich mit *ihrem* Elian zu treffen, solange ich es diskret tue."

„Carolin?" Natascha starrt mich ungläubig an. „Heißt das, sie war bei dir? Mit diesem Foto? Aber ..."

„Warum bist du so überrascht? Du hast ihr doch selbst gesagt, wo ich wohne, oder nicht?"

„Nein, das habe ich nicht. Ich weiß es doch gar nicht. Außerdem würde ich niemals ..."

„Ich will es nicht wissen, okay?" Ich hebe abwehrend die Hand. „Bei diesen schmutzigen Dreier-Spielchen mache ich nicht mit. Für so etwas bin ich mir definitiv zu schade und ich habe auch keine Zeit dafür. Wenn so etwas bei euch üblich ist, ist das euer Problem und nicht meins." Ich lache bitter. „Und ich war so naiv zu glauben, dass ihr genauso bodenständig seid wie ich."

„Wirklich, Felina, du solltest mit Elian reden. Danach siehst du sicher alles anders. Es war nicht okay, dass er dir nicht von ihr erzählt hat, aber ..."

„Du hast recht: Es war nicht okay. Und das ist noch weit untertrieben."

Ich wende mich wütend von ihr ab, bevor mich die Tränen endgültig überwältigen. Auf der Schwelle drehe ich mich noch einmal zu ihr um. „Hast du eigentlich eine Ahnung, wie demütigend es war, von dieser Person in meinem eigenen Haus so bloßgestellt zu werden?" Ich wische mir eine Träne aus dem Augenwinkel. „Das will ich nie wieder erleben. Nie wieder. Hörst du?"

Sie möchte etwas antworten, doch ich bin bereits auf der Treppe. Stufe für Stufe laufe ich hinab in mein altes Leben.

Mein Leben ohne Elian.

Kapitel 20

„Nun nochmal von vorn." Papa setzt sich auf mein Bett und schaut mir irritiert dabei zu, wie ich ohne jedes System Klamotten in meinen Koffer stopfe. „Wir beide fahren *wo* hin?"

„Nach Husum, Papa. Nach Husum."

„Aber was wollen wir denn an der Nordsee? Wir haben doch die Ostsee direkt vor der Tür."

„Wir machen ja auch keinen Urlaub dort, sondern besuchen eine Autorenfreundin von mir."

„Und sie weiß, dass wir kommen?"

„Ich habe gerade mit ihr telefoniert. Es wurde einfach Zeit, dass ich ihre Einladung endlich mal annehme, so oft, wie sie mich schon gefragt hat."

Er kratzt sich am Kropf. „Also verstehe ich das richtig, dass wir sofort losfahren?"

„Ganz genau." Ich werfe mein blaues Schlafshirt in den Koffer. „Vorausgesetzt du fängst heute auch noch an zu packen."

„Ich habe doch seit meinem Einzug noch

gar nicht richtig ausgepackt, Kind. Alles, was noch in den Koffer muss, ist mein Zahnputzzeug."

„Na, umso besser. Wir haben nämlich keine Zeit zu verlieren."

„Und warum muss ich mit?"

Weil ich dich auf keinen Fall hier lassen und riskieren werde, dass Elian auftaucht und dich wieder benutzt, um an mich heranzukommen.

„Ich dachte, du freust dich über ein bisschen Abwechslung", sage ich stattdessen.

„Sicher, aber … na ja, wundern darf man sich doch wohl noch, oder? Ich meine, die Eile, das hastige Kofferpacken, das ist alles ziemlich untypisch für dich, Felinchen."

„*Felinchen* muss dringend mal raus, das ist alles. Und zwar besser gestern als heute."

„Und es hat nicht zufällig was mit diesem Elian zu tun?"

„Können wir bitte von etwas anderem sprechen?"

„Wusste ich's doch, dass er was damit zu tun hat."

„Papa, du bist schlimmer als jedes Tratschweib", fauche ich. „Ich habe gesagt, dass ich nicht über Elian sprechen möchte, also wie wäre es, wenn du das zur Abwechslung einfach mal respektierst und nicht mehr davon anfängst?"

Erst jetzt merke ich, dass ich etwas zu laut geworden bin.

Erschrocken von meinem eigenen Temperament drehe ich mich zum Schrank um und ziehe willkürlich Pullover, T-Shirts und Röcke heraus.

Mit einem Shirt in der Hand lasse ich schließlich seufzend den Arm sinken, während ich mit schwerem Atem versuche, die Tränen zurückzuhalten.

„Aber Kind", er steht auf und legt beide Hände auf meine Schultern, „du weinst ja."

Ich wehre mich gegen meine Gefühle, doch die Tränen sind stärker.

„Dir geht es wirklich schlecht, oder?", stellt er mit unverkennbarer Sorge fest.

„Es ist ... es ist, wie es ist, Papa."

„Ich sage dir, was wir machen." Er legt seine Finger an meine Wangen und streicht die Tränen fort. „Dein Vater sprintet jetzt ins Gästezimmer, schmeißt seine Zahnbürste auf seinen kläglichen Klamottenbesitz und schon sitzen wir im Wagen Richtung Nordsee."

Sein Versuch von Enthusiasmus bringt mich zum Lächeln.

„Na, klingt das nach einem prima Plan?", fragt er.

„Es war mein Plan, Papa. Deshalb ist es natürlich ein prima Plan."

„Das ist das Selbstbewusstsein, das ich hören wollte." Er klatscht zuversichtlich in die Hände. „Und jetzt entschuldige mich, ich habe mein Hab und Gut zusammenzusammeln."

Während er aus meinem Schlafzimmer eilt, lasse ich mich entmutigt aufs Bett fallen.

Ist es wirklich eine so gute Idee, einfach aufzubrechen und damit jede Chance auf eine Aussprache mit Elian zunichte zu machen?

Ob ihm Natascha inzwischen angerufen und von unserem Gespräch erzählt hat? Und wenn ja, wie hat er darauf reagiert? Tut es ihm leid? Akzeptiert er es, weil er wusste, dass es früher oder später passieren musste?

Schon im selben Moment ärgere ich mich über den Gedanken.

Es spielt keine Rolle, ob er mich tatsächlich aufsucht und versucht, den Schaden zu begrenzen.

Wie soll ich je wieder einem Mann vertrauen, der mir verschwiegen hat, dass er verlobt ist? Und wie soll ich auch nur ein einziges Wort mit ihm wechseln, wenn er die ganze Zeit über genau gewusst hat, dass er sich einer anderen Frau versprochen hat, während ich mich ihm mit Leib und Seele hingegeben habe?

Wie viel Gewicht hat sein Liebesgeständnis noch bei dieser Vorgeschichte?

Wieder gewinnen die Tränen die Oberhand.

Warum nur fällt es mir so schwer zu akzeptieren, dass seine Worte nicht der Wahrheit entsprachen? Dass ich ihm nicht wichtig genug war, um vollkommen ehrlich zu mir zu sein?

Und wie stellt er sich eine Zukunft mit mir vor?

Vermutlich haben seine Zukunftspläne von Anfang an nur bis zum Ende des Sommers gereicht. Oder bis zum Ende seines ach so tollen Privatstrandes.

Ich wische mir die Tränen mit dem Handrücken aus dem Gesicht.

Arschloch. Selbstgefälliges Arschloch!

„Also, ich weiß ja nicht, wie hier die Lage

ist, aber dein alter Herr ist bereit für einen Trip ins Ungewisse."

Mit einem verbeulten Koffer in der Hand steht er in meiner Schlafzimmertür und strahlt mich an wie ein Kind an seinem ersten Schultag.

„Du bist ja schneller, als die Polizei erlaubt." Ich zwinge mir ein Lächeln ab.

„Und so schnell wie die Polizei werden wir jetzt auch aufbrechen und jedes ungute Gefühl zurücklassen."

Ich atme tief ein, dann klappe ich meinen Koffer zu und schiebe meine Hand in den Griff.

„Willst du fahren?", frage ich. „Oder soll ich?"

„Ich fahre", antwortet er entschlossen. „Und du bist mein persönliches Navigationssystem."

„Nichts leichter als das, Papa."

Kapitel 21

Ich werfe mein Haar in den Nacken, während seine Zunge von meinem Hals zu meinem Dekolleté wandert.

Unsere Berührungen sind so leidenschaftlich, dass er mich mit dem Rücken gegen das Bootshaus presst. Ich küsse den Ansatz seiner Schulter, so eindringlich, dass ich vor meinem eigenen Verlangen erschrecke.

Er steht direkt vor mir, während er mein Bein mit einer Hand anhebt.

Mein Atem wird schneller, als seine Lippen endlich meine erreichen.

Ich spüre seine Erregung, die Sehnsucht in jeder seiner Berührungen.

„Lass uns reingehen", flüstere ich ihm ins Ohr.

„Ich will dich", antwortet er leise. „Dich und niemanden sonst."

Das Signalhorn eines Schiffes in der Ferne lässt mich aufschrecken. Erst jetzt merke ich, dass es in Wahrheit die Hupe eines Autos war.

Unweigerlich öffne ich die Augen.

„So ein Idiot!", brüllt Papa über das Lenkrad. „Hast du deinen Führerschein im Lotto gewonnen, oder was?"

„Papa!" Ich gähne. „Was ist los?"

„Na, sieh einer an, mein Navigationsgerät ist auch wieder wach. Ich dachte schon, du wachst heute gar nicht mehr auf. Gott sei Dank stammt dein alter Herr noch aus der Zeit, in der es keine Smartphones gab und hat sich einfach an den Schildern orientiert." Er steckt seinen Kopf aus dem Fenster und brüllt: „Schilder lesen kann ich übrigens auch Ihnen empfehlen, mein Freund!"

Doch der Feind im blauen Kombi ist bereits auf die andere Spur gewechselt.

„Wo sind wir?" Ich reibe meine Augen.

„Gleich da."

„Heißt das, ich habe über zwei Stunden geschlafen?"

„Sieht ganz so aus, Kleines."

Liebeskummer macht anscheinend müde.

Ich schaue auf die Navi-App meines Smartphones. „Du hast recht, Papa. Mein Handy sagt, nur noch fünf Minuten bis zum Ziel."

„Siehst du, was habe ich gesagt?"

Zufrieden lehne ich mich zurück.

Endlich sehe ich Franziska einmal live und in Farbe. Seit mittlerweile drei Jahren schreiben wir uns auf Facebook, tauschen uns über unsere Erfahrungen im Publizieren aus und versinken immer wieder in mehrstündigen Dauertelefonaten. Höchste Zeit, dass wir das alles auch im wahren Leben nachholen. Und welcher Zeitpunkt könnte besser dafür geeignet sein?

„Und?" Papa mustert mich flüchtig von der Seite. „Freust du dich auf den Kurzurlaub?"

„Freuen ist vielleicht das falsche Wort", antworte ich. „Aber froh bin ich trotzdem. Es ist Zeit, sich ein wenig abzulenken."

„Und du bist dir sicher, dass du nicht über diesen Elian reden möchtest? Vielleicht hilft es dir etwas."

„Nicht jetzt, Papa."

Er richtet den Blick wieder nach vorn. „Okay okay. Ich werde von jetzt an meine Klappe halten."

„Ich höre dich gern reden. Nur eben nicht über diesen Mann."

„Schon verstanden, Felinchen."

Kapitel 22

„Und mein Vater stört Lukas wirklich nicht beim Angeln?", hake ich bereits zum zweiten Mal nach.

„Quatsch, der freut sich doch, endlich mal jemanden dabei zu haben. Außerdem können wir beide dann ungestört quatschen." Franziska gießt sich etwas Milch in den Kaffee und hält mir das Kännchen vor die Nase.

„Nein, danke", ich schüttele den Kopf, „ich trinke ihn lieber schwarz. Hilft beim Kopffreikriegen."

„Verstehe." Franziska legt die Füße auf dem gegenüberliegenden Gartenstuhl übereinander und lehnt sich mit zufriedenem Grinsen zurück. „Ich kann dir gar nicht sagen, wie ich mich freue, dass du tatsächlich gekommen bist, Felina. Als du heute früh angerufen hast, hielt ich es ja noch für einen Scherz."

„So etwas traust du mir zu?"

„Na ja, eigentlich nicht, aber ... wir haben einfach schon so oft von einem Treffen gesprochen, dass ich fast nicht mehr geglaubt habe, dass wir es wirklich nochmal schaffen."

„Jetzt bin ich ja da."

„Wie gesagt, ihr könnt bleiben, solange ihr wollt. Ich arbeite von zu Hause, wie du weißt und bin eigentlich immer da. Und für alle anderen Fälle bekommst du einen Schlüssel."

„Das ist furchtbar lieb von dir, Franziska." Ich umklammere meine Kaffeetasse wie einen Rettungsanker. „Ich musste einfach mal raus. Und ich glaube, hier in Husum", ich schließe die Augen und atme tief ein, „könnte ich wirklich auf andere Gedanken kommen."

„Keine Sorge, meine Mission wird es sein, dich mit allen Mitteln von diesem Scheißkerl abzulenken."

Erschrocken öffne ich die Augen wieder. „Hast du gerade Scheißkerl gesagt?"

Sie hebt die Augenbrauen. „Klang das zu hart?"

„Na ja, ich wundere mich nur, woher du weißt, dass ein Mann der Grund für meine Flucht ist."

„Ach komm schon, Felina, für den Blick, der in deinen Augen liegt, kann nur ein Kerl verantwortlich sein. Und eines ist sicher, besonders nett kann er nicht sein."

Ihre Diagnose bringt mich zum Schmunzeln. „Wenn es doch nur so leicht wäre, ihn einfach als Scheißkerl abzutun. Das würde einiges einfacher machen."

„Du bist doch jetzt hier, oder?"

Ich schlucke. „Das bin ich, ja."

„Dann ist der Rest egal. Du wirst schon sehen, wir machen es uns so gemütlich, dass du gar keine Zeit mehr haben wirst, an irgendwelche Kerle zu denken."

Ich schlage meine Beine ebenfalls übereinander und lasse meinen Blick über den raspelkurzen Rasen des akkurat gepflegten Gartens schweifen. „Wie ich sehe, hat dein Lukas alles bestens im Griff hier."

Franziska lacht. „Du kennst mich doch schon besser, als ich dachte. Wenn ich hier im Garten Hand anlege, herrscht das reinste Chaos. Als Künstlerin ist man wohl nicht für so was gemacht. Deshalb überlasse ich das am liebsten Lukas."

„Gute Entscheidung, die Rosenbüsche sehen einfach bezaubernd aus. Der perfekte Ort zum Schreiben.“

„Das ist es in der Tat. Du hast doch hoffentlich deinen Laptop mit? Du kannst hier natürlich auch schreiben, wenn du magst.“

„Ich habe ihn mit, ja. Aber ob ich im Moment den Nerv habe, an meinem Buch zu arbeiten, bezweifle ich eher.“

Warum muss es auch ausgerechnet ein Buch über Millionäre sein?

„Umso besser“, antwortet sie mit geheimnisvollem Blick.

„Umso besser?“

„Ich will dich nachher nämlich noch entführen.“

„Entführen? Wohin?“

„Zum Autorenstammtisch hier in Husum. Die Männer lassen wir zu Hause und wir zwei machen uns einen netten Abend mit den Schreiberkollegen.“

„Oh je. Ich bin mir nicht sicher, ob ich dafür heute die richtige Begleitung bin.“

„Aber sicher doch, da sind auch einige, die du von Facebook kennst. Igor zum Beispiel. Oder Julian. Die drehen durch vor Freude, wenn ich dich als Überraschungsgast mitnehme.“ Sie kichert. „Mann, ich sag dir, die werden Augen machen. Vor allem Julian, der baggert doch online eh immer an dir rum."

„Ach, ich weiß nicht ..."

„Aber *ich* weiß. Glaube mir, das wird dich ablenken – und das ist unser einziges Ziel im Moment."

Kapitel 23

Der Autorenstammtisch könnte ebenso gut ein Stammtisch für Angler, Tupperdosen-Fans oder Hobbyköche sein, denn keines der angesprochenen Themen könnte mich weniger interessieren.

Warum habe ich nicht auf mein Bauchgefühl gehört und bin einfach auf Franziskas Sofa geblieben? Ich, eine Schale mit Erdnussflips und der Fernseher. Aber da hätte ich mich neben Lukas und meinem Vater vermutlich ebenso deplatziert gefühlt.

Und was, wenn ich einfach wieder heimfahre und mich in meinem Bett verkrieche? Elian wird jetzt sicher nicht mehr auftauchen und selbst wenn, die Vorhänge ziehe ich zu und meinem Vater erteile ich ein striktes Türöffnungsverbot. Wäre doch gelacht, wenn ich das nicht irgendwie hinbekomme!

Während diverse Stammtischfluchtpläne meinen Kopf besudeln, spüle ich das zweite Glas Weißwein herunter.

„Ich kann dir gar nicht sagen, wie ich mich freue, dich endlich einmal persönlich kennenzulernen", stellt Julian erneut fest und prostet mir mit seinem Bierglas von der gegenüberliegenden Ledersitzbank zu.

Neutral betrachtet ist er gar nicht mal unattraktiv. Das dunkle Haar bringt seine wasserblauen Augen besonders zur Geltung und sein Lächeln ist irgendwie niedlich. Blöd nur, dass ein niedliches Lächeln allein nicht ausreichen wird, um mich auf andere Gedanken zu bringen.

„Lächle doch mal, Süße!", flüstert mir Franziska von der Seite aus zu.

„Lächeln, wie geht das noch mal?" Ich schiebe meine Mundwinkel nach oben. „So vielleicht?"

Sie pufft mir augenzwinkernd in die Hüfte.

„Soooo, Freunde, und jetzt mal alle ganz fröhlich Kääääsekuchen sagen", ruft eine der Autorinnen, deren Name ich bereits vergessen habe. Mit einem Selfie-Stick hält sie ihr Smartphone von ihrem Eckplatz aus über die Mitte des langen Tisches. „Ist doch okay, wenn ich euch alle auf Facebook markiere?"

Ich quäle mir ein Lächeln für das Foto ab,

dann hebe ich die Hand, um den Kellner herbeizuwinken.

„Noch ein Glas?", fragt Julian und zwinkert mir wissend zu.

Ich nicke. „Wann kommen wir schon mal alle zusammen? Das muss gefeiert werden."

Ich staune über meine plötzliche Redseligkeit. Fängt der Wein vielleicht schon an zu wirken?

„Erzähl mal, Felina", ruft Igor von der anderen Seite des Tisches zu mir herüber, „gibt es bei euch an der Ostsee auch einen Autorenstammtisch?"

„Wir hatten mal einen, ja. Aber irgendwie wurde er von Mal zu Mal kleiner und irgendwann bin auch ich nicht mehr hin."

„Das kann dir hier nicht passieren", sagt Franziska und greift in die Schale mit den Kartoffelcrackern. „Wir sind jedes Mal mindestens fünfzehn Leute. Das ist jeden Monat ein Fest."

„Und Felina?", beginnt Julian. „Wann erscheint dein nächstes Buch?"

„Eigentlich in vier Wochen", antworte ich. „Aber irgendwie ist im Moment der Wurm drin. Komme nicht so recht voran."

„Deine Millionäre laufen gut, oder?", fragt er.

„Im Moment, ja. Mal schauen, ob ich demnächst mal ein neues Thema anpacke."

Endlich taucht der Kellner neben mir auf. „Darf ich Ihnen noch was bringen?"

„Gut, dass Sie da sind." Ich grinse vielsagend. „Ich glaube, wir zwei werden uns heute Abend öfter sehen."

Kapitel 24

„Also, glaubt es oder nicht, aber als Franziska mich überredet hat, sie zum Stammtisch zu begleiten, hätte ich nie gedacht, dass es so lustig werden würde." Lachend gebe ich ihr einen Wangenkuss, während sie den Arm um meine Schulter legt.

„Es ist beschlossene Sache", jubelt Julian. „Von jetzt an musst du immer dabei sein, Felina. Am besten du ziehst her. Schreiben kannst du auch hier."

„Keine Chance", ich lache, „meine Ostsee gebe ich für kein Geld der Welt auf."

Ganze fünf Stunden sind seit unserer Ankunft im Stammlokal vergangen. Als wir hinaus auf die von Laternen bestrahlte Straße treten, kommt es mir jedoch so vor, als wären nur zehn Minuten vergangen.

Ich schiebe die Hände in meine Jackentaschen und schaue hinauf in den klaren Sternenhimmel. Für einen Moment schließe ich die Augen und blende das Kichern und angeregte

Getuschel der anderen aus.

Wer hätte gedacht, dass ich in dieser Nacht tatsächlich zumindest einen Hauch Unbeschwertheit empfinden würde?

Als ich die Augen nur wenige Sekunden später wieder öffne, bröckelt die Unbeschwertheit jedoch wie alter Putz von meinen Schultern.

Wie eine Erscheinung aus einer anderen Welt steht er da, als hätte er seit Stunden auf mich gewartet.

Mein Puls beginnt zu rasen. Meine Hände werden feucht.

Wie kann er es wagen? Will er mein Herz auch noch zertreten, wenn es längst am Boden liegt?

„Du?" Abrupt bleibe ich stehen. „Woher weißt du, dass ich hier bin? Bist du mir etwa gefolgt?"

Das hübsche Gesicht, das mich noch vor Kurzem so unbefangen angelächelt hat, ist jetzt vollkommen leer und lässt keine Emotion erkennen.

„Du warst nicht zu Hause, obwohl ich mehrmals da war", antwortet er, „da habe ich auf Facebook nach dir gesucht, ob du möglicherweise im Urlaub bist. Jemand hatte dich für dieses Lokal markiert. Es war", er schluckt, „eine spontane Idee, und vielleicht auch eine ziemlich blöde, das gebe ich zu. Aber ich wusste nicht, was ich sonst tun soll."

„Bööööse Facebook-Markierungen", ruft jemand hinter uns. Wieder Kichern. Wieder Getuschel.

Instinktiv zerre ich an Elians Ärmel und ziehe ihn ein Stück zur Seite.

„Und da bist du mal eben zweieinhalb Stunden hergefahren?", frage ich wütend. „Warum hast du nicht angerufen?"

„Wärst du denn rangegangen?"

„Nein." Ich verschränke die Arme vor der Brust. „Und spätestens dann hättest du auch gewusst, dass es keinen Sinn macht, hier aufzutauchen, weil ich nicht vorhabe, auch nur ein weiteres Wort mit dir zu wechseln."

„Ich habe auch deshalb nicht angerufen, weil das, was ich mit dir zu besprechen habe, ohnehin nichts fürs Telefon ist. Dafür muss man sich in die Augen schauen."

„In die Augen schauen?" Ich lache bitter. „Ist das dein Plan, Elian? Ich schaue dir nur einmal tief genug in die Augen und schon habe ich vergessen, dass du mir deine Verlobung mit dieser Carolin verschwiegen hast?"

„Carolin. Genau darüber wollte ich mit dir reden."

„Du kapierst es nicht, oder? Ich habe keinen Bedarf, Elian."

„Aber wir *müssen* reden, Felina!"

„Ach ja, müssen wir das?" Ich werde lauter. „Ich finde, dass ich gar nichts muss, Elian. Und wenn es etwas gibt, das ich tun muss, dann sicher nicht, weil du es mir vorschreibst."

„Alles in Ordnung?" Julian steht direkt hinter mir und wirft Elian einen missgünstigen Blick zu, während er seine Hand auf meine Schulter legt. Eine Geste, die Elian mit angespannter Mimik zur Kenntnis nimmt.

„Ja", antworte ich verwirrt. „Ich kriege das schon alleine hin."

Julian jedoch regt sich nicht vom Fleck.

„Hast du nicht gehört?", faucht Elian ihn an. „Sie hat gesagt, sie kriegt es alleine hin."

Ihre Blicke treffen sich wie Schwerter bei einem Duell.

Julian tritt einen Schritt in Elians

Richtung.

„Ich bin gleich wieder bei euch", sage ich eindringlich zu Julian, der nur widerwillig wieder zurück zu den anderen geht.

„Sag mal, merkst du noch was?", gehe ich Elian aufgebracht an. „Du hast nicht das Recht, meine Freunde so blöd anzumachen. *Du* bist derjenige, der hier nicht dazugehört. Die anderen und ich, wir hatten einen tollen Abend und den lasse ich mir nicht von dir kaputtmachen."

„Kaputtmachen? Aber ich bin doch nicht hier, um irgendetwas kaputtzumachen. Ich will mit dir reden, Felina. Dir alles erklären. Dir versichern, dass alles, was ich für dich empfinde, aufrichtig ist und von ganzem Herzen kommt."

„Aufrichtig?" Ich verziehe das Gesicht. „Hast du gerade das Wort *aufrichtig* benutzt?"

„Ja, ich meine ..."

„Kapierst du es noch immer nicht?", falle ich ihm ins Wort. „Ich bin kein Teil eurer kleinen scheinheiligen Welt, in der es normal ist, dass man mehrere Frauen gleichzeitig hat. Auch wenn du es dir nicht vorstellen kannst, aber Elian Radloff ist nicht so ein unglaublich toller Hecht, dass ich deshalb den Respekt vor mir selbst verliere."

Ich erschrecke vor der Härte meiner eigenen Worte, erkenne jedoch im selben Augenblick, dass es der einzige Weg ist, mich vor weiteren Verletzungen zu schützen.

„Aber Carolin und ich ...“

„Es ist mir egal“, unterbreche ich ihn erneut. „Mach mit dieser tollen Madame, was auch immer du willst. Sie passt vermutlich ohnehin viel besser in deine Welt als ich. Und wo wir gerade dabei sind“, ich hole tief Luft, „kannst du auch ruhig wissen, dass ich mich sowieso nur aus Recherchezwecken auf dich eingelassen habe.“

Elian, der eben noch etwas sagen wollte, verstummt. Scheinbar hat es ihm die Sprache verschlagen.

„Du hast doch selbst gesagt, dass meine Millionär-Romane nicht authentisch genug sind“, fahre ich in abgekühltem Tonfall fort. „Da war es doch naheliegend, dass ich an einem echten Millionär übe, um in meinen Büchern wirklich aus Erfahrung sprechen zu können. Ich meine, wann bietet sich so eine Möglichkeit schon mal?“

In seinen Augen liegt Verbitterung und echtes Erstaunen.

„Das heißt, du hast dich nur auf mich

eingelassen, um dich für die Rezensionen", er schluckt, „zu rächen?"

„Rache würde ich es nicht unbedingt nennen." Ich bemühe mich um einen besonders selbstsicheren Blick. „Ich habe einfach nur die Chance ergriffen, die sich mir geboten hat. Das verstehst du als Geschäftsmann doch sicher?"

Eine Weile schauen wir uns schweigend an. Wie ein Machtkampf, bei dem es darum geht, wer zuerst einknickt.

Mit jeder Sekunde, die verstreicht, wächst die Verwunderung über meine eigenen Worte. Und doch weiß ich, dass es kein Zurück mehr gibt. Wenn es schon vorbei sein muss, dann möchte ich wenigstens mit einem letzten Funken Selbstachtung vom Spielfeld gehen. Dieser Mann darf nicht mal eine Sekunde lang glauben, dass er mir das Herz gebrochen hat.

„Ich wollte mit dir reden", sagt er schließlich mit ungewohnt dünner Stimme, „dir alles erklären. Und ich war mir sicher, dass du alles verstehen würdest – auch, warum ich dir nicht von Carolin erzählt habe. Aber jetzt, jetzt bin ich mir nicht mal mehr so sicher, ob hier dieselbe Frau vor mir steht, die gerade noch in meinen

Armen gelegen hat. Und ob es überhaupt einen Sinn macht, auch nur ein weiteres Wort ...", er verstummt.

„Felina?" Franziska ruft mir von der Straßenecke aus zu. „Brauchst du seelischen Beistand?"

„Nein", rufe ich zurück. „Ich bin hier fertig."

Dann drehe ich mich ohne ein weiteres Wort um und entferne mich so schnell von ihm, wie ich nur kann, bevor mich die Tränen auf meinen Wangen im grellen Laternenlicht verraten.

Kapitel 25

Das deckenhohe Fenster des Wintergartens gibt den Blick auf einen tristen Sommermorgen frei. Graue Wolkenschleier tauchen den sonst so leuchtenden Rasen und all die Blumen in dumpfe Farben und lassen einen ebenso grauen Tag erahnen, fast so, als hätte sich das Wetter seinem Gemütszustand angepasst.

Seine Füße liegen ausgestreckt auf dem Stuhl neben ihm, die Zeitung noch immer ungelesen auf dem Tisch.

Er nippt an seinem mittlerweile lauwarmen Kaffee, während sein Blick immer wieder in die Ferne wandert.

Als er ihre Schritte auf der Treppe hört, spürt er einen kurzen Stich in der Herzgegend. Er möchte jetzt nicht reden, weder mit ihr noch mit sonst irgendwem.

Andererseits – ist es richtig, einfach gar nicht darüber zu sprechen? Hat er überhaupt begriffen, was genau geschehen ist, um es in Worte zu fassen? Und wäre es nicht besser, es

Natascha und somit irgendwie auch sich selbst zu erklären?

Er umklammert seine Tasse und nimmt erneut einen Schluck, als sie schließlich den Wintergarten betritt.

„Guten Morgen, Bruderherz." Ihr Lächeln ist bemüht positiv.

„Guten Morgen", antwortet er knapp, ohne zu ihr aufzuschauen.

„Oh, du hast Kaffee gekocht?" Sie füllt ihren riesigen Becher bis zum Rand.

Er nickt wortlos.

Sie setzt sich auf ihren Lieblingsstuhl auf der gegenüberliegenden Tischseite und betrachtet ihren Bruder über den Rand ihrer Kaffeetasse. „Du warst heute Nacht weg, oder?"

Wieder nickt er.

Wieder bleibt er dabei wortlos.

„Ich habe dich nach Hause kommen hören", sagt sie. „Die Vögel haben schon gezwitschert."

Seufzend greift er nach der Zeitung und beginnt, zumindest augenscheinlich zu lesen.

Natascha nimmt sich ein Brötchen. „Nun komm schon, Elian, soll das jetzt für immer so weitergehen? Das Schweigen der Radloffs, oder wie? Ich habe dir doch schon gesagt, dass es mir leidtut."

Erst jetzt wird ihm bewusst, dass er in Wahrheit nicht auf Natascha, sondern auf sich selbst wütend ist. Wie hatte er es nur so weit kommen lassen können? Warum hat er nicht von Anfang an mit offenen Karten gespielt?

Andererseits, welche Rolle spielen Fragen wie diese schon noch? Vielleicht hätte er nie von Felinas wahren Beweggründen erfahren, wenn es nicht zu diesem Chaos mit Carolin gekommen wäre.

Natascha öffnet das Marmeladenglas. „Du kannst von mir denken, was du willst, aber zumindest habe *ich* dir immer gesagt, dass dir diese Carolin eines Tages Ärger machen wird. Und zwar schon, als du es selbst noch gar nicht geschnallt hast."

„Ach ja?", platzt es schließlich aus ihm heraus. „Und warum hast du ihr dann von Felina erzählt?"

„Na ja, sie hat neulich auf Facebook gefragt, was es so Neues gibt und fing dann natürlich auch wieder von dir an. Ich weiß nicht, aber irgendwie hatte ich den Drang, ihr auf diese Weise zu zeigen, dass es eben Frauen gibt, die besser zu dir passen als sie."

„Du siehst ja, wohin deine tolle Idee geführt hat."

„Es tut mir leid. Aber früher oder später hätte sie es doch sowieso erfahren."

„Ich kann noch immer nicht glauben, dass sie einfach bei ihr aufgetaucht ist."

Er faltet die Zeitung wieder zusammen und wirft sie zurück auf den Tisch.

Natascha beißt von ihrem Brötchen ab und mustert Elian mit zusammengekniffenen Augen. „Aus deiner Laune schließe ich, dass du Felina noch immer nicht zu Hause erwischt hast."

„Zu Hause nicht, nein."

„Was soll das heißen, *zu Hause nicht*? War sie etwa hier?"

„Ich war in Husum", antwortet er.

„In Husum?"

Er nickt.

„Um Himmelswillen, nun lass dir doch nicht jedes Wort einzeln aus der Nase ziehen." Sie legt ihr Brötchen zurück auf den Teller. „Was war denn in Husum? War Felina dort?"

„Sie war da bei so einem Autorenstammtisch", antwortet er schließlich. „Jemand hatte sie und ein paar andere auf Facebook markiert. Da stand sowohl der Ort als auch das Lokal. Na ja, und da dachte ich ..."

„Da dachtest du, du fährst einfach mal eben hin?"

„Sozusagen, ja."

„Und? War sie da?" Ihre Augen weiten sich.

„Das war sie. Und neben ihr auch noch so ein dämlicher Typ, der sich aufgespielt hat, als müsste er sie vor mir beschützen."

„Ein Typ? Was für ein Typ? Hat sie etwa schon einen Neuen?"

„Keine Ahnung, wer das war. Es ist mir auch egal."

„Das sehe ich, wie egal dir das ist."

Elian atmet schwer, als er sich erneut Kaffee nachgießt.

„Nun erzähl schon, was ist passiert? Ich will alles wissen."

„Ich wollte mir ihr reden", antwortet er. „Ihr alles erklären."

„Und? Was hat sie gesagt?"

Plötzlich fallen sie ihm wieder ein, all die bitteren Worte, die sie ihm an den Kopf geworfen hat. War das wirklich dieselbe Frau, in die er sich verliebt hat? Dieselbe Frau, mit der er sich trotz der kurzen Zeit ihres Kennens alles hätte vorstellen können?

„Sie hat gesagt, dass sie nichts hören will", sagt er.

„Das hat sie mir auch gesagt", antwortet Natascha. „Aber ich dachte, dass sie wenigstens dir zuhört. Ich meine, du hast dich doch sicherlich nicht einfach so abwimmeln lassen, oder?"

„Das hatte ich nicht vor. Zumindest nicht, bis ..."

„Bis *was*?"

Er stellt seine Tasse auf den Tisch und starrt auf die schwarze Oberfläche des Kaffees, als wäre die Antwort darin zu finden.

„Elian?"

„Na ja, sie hat gesagt, dass sie sich nur auf mich eingelassen hat, um authentischer über Millionäre schreiben zu können als bisher."

„Das hat sie gesagt?"

„Sicher hat sie das."

„Und du hast ihr geglaubt?"

Er senkt den Blick. „Du hast nicht ihren Blick gesehen, als sie das gesagt hat."

„Ich habe aber ihren Blick gesehen, als sie mit dem Foto bei mir war und mich wegen Carolin ausgefragt hat. Und alles, was ich da in ihren Augen erkannt habe, war unendliche Enttäuschung."

„Sicher war sie enttäuscht, aber das war nicht alles. Vermutlich war es nur gekränkte Eitelkeit, die sie so wütend gemacht hat. Das ändert aber nichts daran, dass ich ihr anscheinend doch nicht so wichtig bin, wie ich gedacht habe. Sie ist eben nicht nur Autorin, sondern auch Schauspielerin. Eine sehr gute Schauspielerin, nebenbei bemerkt. Ich habe wirklich geglaubt, dass aus uns etwas werden könnte."

„Trotzdem, ich glaube nicht, dass sie das ernst gemeint hat. Ich meine, das, was sie in Husum gesagt hat."

„Natascha, bitte."

„Was? Ich werde doch wohl noch mal meine eigene Meinung sagen dürfen, oder etwa nicht?"

„Wie gesagt, du warst nicht dabei. Du hast sie nicht gehört."

„Aber es hat sicher nur der Schmerz aus ihr gesprochen. Ich meine, das ist ja nun mal auch eine ziemlich große Kacke mit Carolin. Da wäre ich an Felinas Stelle auch ausgetickt."

„Sie ist nicht ausgetickt, sie hat mir nur mehr als deutlich zu verstehen gegeben, was sie wirklich von mir hält."

„Aber nur, weil sie nicht weiß, wie du zu Carolin stehst. Du solltest einfach nochmal mit ihr reden."

Er lacht verbittert. „Das werde ich ganz sicher nicht."

„Aber sie wird doch schließlich nicht ewig in Husum bleiben. Wenn sie erst mal wieder da ist, solltest du dich noch mal auf dem Weg zu ihr machen."

„Natascha!" Er knallt seinen Becher auf die Untertasse. „Kannst du jetzt bitte damit aufhören und mir ein einziges Mal vertrauen? Diese Frau hat nicht den Mann, sondern den Millionär in mir gesehen."

„Aber ich dachte, es ginge ihr nicht ums Geld?"

„Nein, dieses Mal wurde ich nicht wegen meines Geldes ausgenutzt, sondern wegen meiner

Romantauglichkeit.“

„Romantauglichkeit“, wiederholt sie mit tiefer Falte auf der Stirn, anscheinend noch immer nicht gewillt, ihm zu glauben.

Elian steht auf. „Und jetzt entschuldige mich bitte, aber ich muss ins Büro.“

„Mit dieser Laune?“

„Wäre es dir lieber, ich bleibe mit dieser Laune hier bei dir?“

„Was *mir* lieber wäre, interessiert dich ja anscheinend nicht mehr.“

Auf der Schwelle des Wintergartens dreht er sich noch einmal zu ihr um. „Natascha, bitte. Respektier einfach, dass ich im Moment nicht darüber reden will. Okay? Auch, wenn du mich nicht verstehst, aber akzeptiere es wenigstens.“

„Von mir aus.“ Sie bricht ein Stück ihres Brötchens ab und schiebt es sich in den Mund. „Wenn es das ist, was du willst.“

Kapitel 26

„Was zum Teufel machst du in Husum?"

„Ich habe dir doch von meiner Freundin Franziska erzählt. Sie ist auch Autorin. Aber wir kommen morgen schon wieder zurück."

„Wir?"

„Mein Vater und ich."

„Du hast ihn mitgenommen?"

„Ja, Marina, stell dir vor, das habe ich. Oder sollte ich etwa riskieren, dass er zu Hause bleibt und Elian wieder reinlässt, um sich von ihm einlullen zu lassen?"

„Bist du immer noch so fertig wegen dieses Kerls?"

„Absolut nicht."

„Ach komm schon, Süße. Deine Stimme sagt aber was anderes."

„Dann musst du dich verhört haben. Ich habe ein für alle Mal mit ihm abgeschlossen."

„Ist klar, Baby. Von einem Tag auf den anderen ist es dir plötzlich egal, dass er eine andere Frau heiratet."

„Spätestens, seitdem er hier aufgetaucht ist."

„Wie jetzt, aufgetaucht ... in Husum?"

„Vor dem Lokal, in dem ein Autorenstammtisch stattgefunden hat."

„Nicht dein Ernst. Wann?"

„Vorgestern Abend. Na ja, genau genommen war es ja schon morgens."

„Dann bist du ihm zumindest nicht egal, das ist klar. Woher wusste er überhaupt, dass du da bist?"

„Das spielt doch jetzt keine Rolle. Fakt ist, dass er mir gestohlen bleiben kann mit seinen scheinheiligen Versprechungen."

„Versprechungen? Was hat er denn gesagt?"

„Na ja, nicht viel."

„Nicht viel? Aber er muss doch irgendwas gesagt haben, wenn er so einen weiten Weg für dich zurücklegt."

„Ich wollte es nicht hören, okay?"

„Und das hat er einfach akzeptiert?"

„Anfangs nicht, aber als ich ihm gesagt habe, warum ich mich wirklich auf ihn eingelassen habe, war es ihm plötzlich nicht mehr so wichtig, sich weiter mit mir zu unterhalten."

„Was soll das heißen? Was hast du denn gesagt?"

„Na ja, die Wahrheit eben."

„Die Wahrheit? Nun sag schon, Felina!"

„Ich habe ihm gesagt, dass ich mich nur aus Recherchezwecken auf ihn eingelassen habe."

„Wie bitte?"

„Erinnere dich bitte, Marina: Er war derjenige, der geschrieben hat, dass meine Bücher nicht authentisch sind."

„Aber das war doch lange, bevor ihr euch kennengelernt habt."

„Spielt doch keine Rolle: Er hat es gesagt und nur das zählt."

„Trotzdem ist das Schwachsinn. Du würdest dich nie auf einen Kerl einlassen, schon gar nicht mit ihm ins Bett steigen, wenn keine echten Gefühle im Spiel wären."

„Wer sagt, dass ich es nicht lernen kann?"

„Wir wissen beide, dass das Blödsinn ist, Süße!"

„Das Einzige, was zählt, ist, dass *er* glaubt, dass es die Wahrheit ist."

„Du verarschst mich, oder? Du willst mir

doch nicht allen Ernstes erzählen, dass es dich glücklich macht, wenn er diesen Bullshit für die Wahrheit hält?"

„Findest du es etwa besser, wenn ich als das arme Opfer dastehe? Als die Hintergangene?"

„Lügen sind nie richtig, auch nicht, wenn man sie aus gekränkter Eitelkeit von sich gibt."

„Es ist mir egal, was falsch oder richtig ist: Das Thema Elian ist für mich ein für alle Mal durch."

„Ist klar, Püppi."

„Du nimmst mich wieder mal nicht ernst."

„Sorry, aber so einen Schwachsinn kann ich nun mal nicht ernst nehmen."

„Hast du dir die Fotos angeschaut, die ich dir geschickt habe? Die Vorschläge für meine nächste E-Book-Serie?"

„Willst du jetzt allen Ernstes über die Arbeit mit mir reden?"

„Na schön, dann reden wir eben drüber, wenn ich wieder da bin."

„Dann werde ich wohl damit beschäftigt sein, dir ordentlich den Kopf zu waschen."

„Du kannst mir den Kopf waschen, so oft du willst, Marina. Es ändert trotzdem nichts daran, dass er mir diese andere Frau verschwiegen hat."

„Aber wer weiß, was er in Husum wollte? Wichtig bist du ihm auf jeden Fall, das war doch mehr als deutlich, sonst wäre er nie so weit gefahren. Vielleicht lässt er die Andere ja auch für dich sausen. Und vielleicht war er da, um dir das zu sagen."

„Er war nicht ehrlich zu mir, Marina. Und wenn eine Beziehung schon mit einer Lüge beginnt, kann sie über kurz oder lang nur scheitern."

„Mir ist trotzdem nicht wohl bei der Sache."

„Aber mir, Marina."

„Wäre es nicht besser, wenn du noch eine Weile an der Nordsee bleibst? Ich meine, auf andere Gedanken kommen und so. Vielleicht kommst du dann mit dir ins Reine. Warum willst du so schnell wieder nach Hause?"

„Weil ich mir jetzt ganz sicher bin, dass Elian nicht nochmal bei mir auftauchen wird und ich zu Hause einfach besser schreiben kann als hier, wo ich ständig das Gefühl habe, mich unhöflich zu verhalten, wenn ich mich mit meinem Laptop in irgendeine Ecke verkrieche. Außerdem muss Papa ja auch bald wieder arbeiten."

„In über einer Woche."

„Kann es sein, dass du mich nicht wieder auf der Insel haben willst?"

„Ich liebe dich, Süße. Das weißt du."

„Dann vertrau mir einfach, ja? Es geht mir gut."

„Ich versuche es, okay?"

„Ich muss jetzt Schluss machen, mein Vater ruft mich gerade."

„Schon klar, Felina. Code verstanden."

Kapitel 27

Das Letzte, was mir zu meinem Glück gefehlt hat, ist ein mit neugierigen Menschen überfülltes, stickiges Messezelt.

Ich lege die Hand von hinten auf die Schulter meines Vaters. „Kannst du mir bitte nochmal erklären, wie du es geschafft hast, mich zu diesem Menschenauflauf zu überreden?"

„Deine Mutter und ich sind jedes Jahr auf der Wismar-Messe."

„Falls es dir noch nicht aufgefallen ist, ich bin *nicht* Mama."

„Nun gönne deinem Vater doch einfach diese sentimentale Macke."

„Schon gut." Neben einem Honig-Stand bleiben wir stehen. „Ich bin halt nur noch etwas müde. Wir sind doch gestern erst nach Hause gekommen."

„Schau mal", jubelt er, „da gibt es Honig-Kostproben auf frischem Weizenbrot."

„Toll, Papa. Dann müssen wir ja nicht verhungern, vor allem, weil wir zu Hause keinen

Honig und auch kein Brot haben."

„Mach dich nur lustig." Er greift sich ein Schnittchen. „Aber ich liebe die Messe und werde sie mir auch in diesem Jahr nicht verderben lassen."

„Ich will sie dir doch gar nicht verderben."

„Ach nein? Das glaube ich dir erst, wenn du auch ein Schnittchen probierst."

Nach kurzem Zögern greife ich schließlich ebenfalls nach einem Stück Brot und schiebe es mir lustlos in den Mund.

Mittlerweile bin ich selbst von meiner schlechten Laune genervt. Aber was soll ich machen? Der Wunsch, augenblicklich nach Hause zu verschwinden und mich unter meiner Bettdecke zu verstecken, ist einfach stärker.

„Kommst du nachher noch mit nach draußen zu den Traktoren?", fragt mein Vater. „Die haben die neusten Modelle dort."

„Natürlich." Ich quäle mir ein Lächeln ab. „Wenn du willst."

„Und zu dem Typen mit den Marmeladen muss ich auch noch. Der ist sicher wieder im zweiten Zelt. Letztes Jahr hatte der Tomatenmarmelade dabei. Klingt ekelig, schmeckt aber einfach göttlich."

Ich folge ihm zum Zeltausgang. „Ich komme mir vor wie bei einem Ausflug mit meinem Kind."

Papa lacht, während er neugierig vorausläuft. „Tja, Liebes, so ändern sich die Dinge, was?"

Als wir das zweite Zelt betreten, erdrückt mich der Anblick. Noch mehr Menschen, noch mehr Stimmen, die wild durcheinander plappern.

Ein Königreich für meine Couch, meinen Laptop und eine große Schüssel Erdbeereis.

„Oh, schau mal, der Stand mit dem Hundefutter ist auch wieder da."

„Aber du hast doch gar keinen Hund, Papa."

„Vielleicht hole ich mir ja einen."

„Und weil du dir *vielleicht* einen holst, besorgst du dir schon mal vorsorglich das passende Futter?"

„Nun sei doch nicht so mies gelaunt, Felinchen." Er geht voraus, während ich meine Probleme habe, ihm zu folgen.

Als wir uns dem Hundefutter nähern, erstarre ich einen Moment.

Radloff-Fisch.

Ein ganzer Stand, fünfmal so groß wie die anderen, mit Sitzgruppe und eigenem Tresen.

Natürlich. Wenn man hier alles aus der Region kaufen kann, dann natürlich auch die erfolgreiche Fischmarke der Familie Radloff.

Und wenn der Stand der Firma hier ist, dann vielleicht auch ...

Ich versuche, mich zu beruhigen.

Warum sollte er hier sein? Er gehört zur Geschäftsleitung und die treibt sich doch sicher nicht auf nervenaufreibenden Messen herum.

Doch gerade als ich mit Erleichterung feststelle, dass er nicht unter den Leuten ist, die am Stand die Besucher begrüßen, reißt mich eine Stimme hinter mir aus den Gedanken.

„Na, sieh mal einer an. Ich wusste gar nicht, dass so eine Landwirtschaftsmesse auch was für Schnulzenautorinnen ist."

Als ich mich zu ihr umdrehe, habe ich Mühe, meine Wut zu unterdrücken.

Was zum Teufel tut dieses Miststück hier? Erwähnte sie nicht, dass sie in der Radloff-Niederlassung auf Rügen arbeitet? Was macht sie dann auf der Messe in Wismar?

„Was für eine Überraschung", antworte ich mit giftigem Grinsen, während ich meine Anspannung zu verbergen versuche.

Carolin tritt einen Schritt näher. „So schnell sieht man sich wieder."

Ihre makellosen Beine ragen aus einem viel zu kurzen Kostüm, das – passend zu den Hemden des anderen Radloff-Personals – in auffallendem Marineblau gehalten ist.

„Ich hätte auch nicht erwartet, Sie hier anzutreffen", antworte ich. „Sollten Sie nicht eher auf einer Hochzeitsmesse sein, um sich die nötigen Inspirationen zu holen?"

„Allerliebst, meine Liebe. Allerliebst."

Sie lacht. Etwas zu laut. Etwas zu theatralisch.

Was für eine unnatürliche Person.

Mein Magen ballt sich zur Faust. Und wenn ich ihr einfach eine verpasse? In der Menschenmenge würde das noch nicht mal auffallen.

Dass man versehentlich jemanden umrempelt, kann doch schon mal passieren, oder?

„Ich würde mich ja zu gern weiter mit Ihnen unterhalten", sage ich schließlich, „aber um ehrlich zu sein, sind Sie mir einfach zu primitiv."

Als ich mich umschaue, ist mein Vater verschwunden. Ob er überhaupt gemerkt hat, dass ich ihm nicht gefolgt bin?

„Entschuldigen Sie!" Sie tippt mit einem ihrer frisch manikürten Finger auf meine Schulter. „Haben Sie mich gerade primitiv genannt?"

„Oh, das tut mir leid. Da müssen Sie sich verhört haben."

„Nein, das glaube ich nicht. Ich habe es ganz genau verstanden."

Ich schaue mich erneut nach meinem Vater um, dann trete ich ein Stück näher an sie heran und schaue ihr direkt in die schwarzgetuschten Augen. „Ich sagte nicht primitiv", ich zwinkere ihr zu, „ich sagte *billig*. Für jemanden wie Sie ist nämlich selbst das Wort primitiv zu schade."

Sie spitzt die Lippen. „Da spricht doch nur der Neid aus Ihnen."

„Neidisch? Ich? Und worauf genau soll ich neidisch sein?" Nun lache ich etwas zu laut. „Darauf, dass es eine Frau von heute noch nötig hat, alles dafür zu tun, einen reichen Mann an sich zu reißen, anstatt ihren eigenen Weg zu gehen?"

„Sie haben ja keine Ahnung, wozu ich fähig

bin, Schätzchen."

„Oh je." Ich schiebe sie mit dem Zeigefinger von mir weg. „Sie haben es schon wieder getan. Und dabei habe ich Ihnen doch neulich schon gesagt, dass ich es hasse, wenn Sie mich Schätzchen nennen."

„Und wie soll ich Sie sonst nennen? Rosamunde Pilcher vielleicht?"

„Rosamunde Pilcher ist eine sehr erfolgreiche Frau", antworte ich trocken. „Sie hat ihre eigene Art zu schreiben, die man entweder liebt oder hasst. Man muss diesen Stil nicht mögen, aber eines darf man nicht vergessen: Sie hat sich ihren Erfolg mit harter Arbeit verdient. Ist das etwas, das man auch von Ihnen behauten kann, *Schätzchen*?"

Ihre Augen weiten sich, die Wangen färben sich rot.

Wie leicht es ist, sie zu schocken. Warum habe ich das nicht schon bei unserer ersten Begegnung getan?

„Es gibt viele Definitionen von Erfolg." Sie hebt die Augenbrauen und mustert mich skeptisch.

„Ja, das stimmt. Es gibt einerseits den

Erfolg im Job", ich neige den Kopf zur Seite und betrachte sie amüsiert, „und es gibt den Erfolg beim anderen Geschlecht, den man sich mit falschen Wimpern und nuttigem Lippenstift erkämpft, weil die Fähigkeiten zu einem eigenen beruflichen Standbein eben nicht ausreichen."

Sie derart rot anlaufen zu sehen, bereitet mir ein ungeheures Vergnügen.

„Felina!"

Als ich seine Stimme hinter mir wahrnehme, zucke ich zusammen.

Unweigerlich drehe ich mich um – und tatsächlich, er ist hier. Habe ich ihn vorhin übersehen? Ist er eben erst gekommen? Und warum zum Teufel besitzt er die Frechheit, noch immer so umwerfend gut auszusehen?

„Ich bin nicht wegen dir hier", sage ich schnell, als wäre ich eine beim Schwänzen ertappte Schülerin.

Er öffnet seine Lippen, um etwas zu sagen, scheint aber seltsam befangen. Liegt es an meinem Geständnis von neulich? An meinen harten Worten?

In seinem Blick, der mich für einen Moment in all seiner Intensität trifft, liegt ein

Bedauern, das so tief ist, dass es mir fast den Atem raubt. Bilde ich es mir nur ein oder ist es derselbe Blick, mit dem er mich angeschaut hat, kurz bevor wir das erste Mal am Strand übereinander hergefallen sind? Und warum trifft mich die Wärme, die ich glaube, in seinen Augen zu erkennen, noch immer mitten ins Herz? Ich müsste es doch besser wissen. So viel besser.

Doch ehe ich erneut darauf hineinfallen kann, fällt mir wieder der Grund für den Schlammassel ein, in dem wir stecken.

Ein Grund mit langen Beinen und nicht vorhandenem Gewissen.

„Elian", flötet sie fröhlich, „da bist du ja endlich."

Ich schaue erneut zu ihr. Unvorstellbar, dass er ausgerechnet mit so einer Frau zusammen ist, aus welchen Gründen auch immer.

Ich werfe ihm einen letzten flüchtigen Blick zu, den er schweigend erwidert.

Weiß er nicht, was er sagen soll?

Oder liegt es einfach an Carolin, die nicht mitbekommen soll, wie intensiv unsere Gefühle füreinander waren, zumindest das, was ich für Gefühle von seiner Seite gehalten habe?

Ohne ein weiteres Wort flüchte ich schließlich aus diesem seltsamen Szenario. Wo auch immer mein Vater steckt, er wird schon irgendwann am Auto auftauchen. Und dann gibt es für mich nur ein Ziel: Die eigenen vier Wände.

Ohne Elian.

Ohne diese Carolin.

Und ohne einen weiteren Gedanken an diesen verlogenen Mistkerl.

Kapitel 28

Er schaut ihr nach, wie sie fluchtartig in der Menschenmenge verschwindet.

Ob sie wirklich nur zufällig hier war? Gibt es vielleicht doch einen Grund zur Hoffnung? Empfindet sie doch mehr für ihn, als sie bereit ist, zuzugeben?

Er könnte sich selbst ohrfeigen, dass er nicht eher gekommen ist. Wäre er nur zehn Minuten früher auf der Messe gewesen, hätte sich vielleicht ein Gespräch unter vier Augen ergeben.

Aber selbst wenn, Carolin hat es wieder mal geschafft, alles kaputtzumachen.

Mühsam versucht er, seine Gedanken zu sortieren und den nächsten Schritt abzuwägen. Andererseits scheint es ein ziemlich sinnloses Unterfangen. Schließlich hat sie ihm mehr als deutlich zu verstehen gegeben, warum sie sich wirklich auf ihn eingelassen hat.

„Nun schau ihr doch nicht nach wie ein ausgesetztes Äffchen", sagt Carolin flapsig. „Das hat ein Mann wie du doch gar nicht nötig."

Jetzt reicht es aber!

Wütend packt er sie am Arm und zerrt sie vom Stand weg.

„Was zum Teufel ...", sie versucht, sich aus seinem Griff zu lösen, doch er ist viel zu entschlossen, um sie jetzt gehen zu lassen.

Am Rande des Mittelgangs stellt er sie schließlich zur Rede.

„Was um Himmelswillen machst du hier?", faucht er. „Du solltest doch auf Rügen sein."

„Aber ich dachte, du freust dich, mich zu sehen. Immerhin könnt ihr doch auf der Messe jede Hilfe gebrauchen."

Er unterdrückt den Wunsch, ihr direkt ins Gesicht zu schlagen. Wenn es eine Frau verdient hätte, dann sie.

Aber nein, so ein Mann ist er nicht. Auch wenn vieles leichter wäre, wenn er ein Arschloch wäre.

„Sag schon, was hast du zu ihr gesagt?", fragt er.

„Wir haben uns nur ein wenig unterhalten. Small Talk unter Mädels."

„Ich rede vom letzten Mal, als du einfach bei ihr zu Hause aufgetaucht bist."

„Ach das." Sie macht eine wegwerfende Handbewegung. „Ich wollte einfach nur ein wenig über die neue Frau in deinem Leben erfahren."

„Ach ja? Und warum hast du ihr dann das Verlobungsfoto gezeigt?"

„Ich dachte, es interessiert sie vielleicht, was ihr toller neuer Freund anderen Frauen so für Versprechungen macht."

Er wird ungewollt lauter. „Wann wirst du endlich begreifen, dass ich dich nicht mehr liebe? Und dass sich das durch Aktionen wie diese ganz sicher nicht ändern wird."

„Ach Elian, wenn du doch nur endlich einsehen würdest, dass man für eine glückliche Ehe gar keine Liebe braucht. Gerade in unseren Kreisen ist der Stellenwert, den man als Paar in der Gesellschaft hat, um so vieles wichtiger."

„Du lebst in einer Schweinwelt, Carolin." Er hebt aufgebracht die Arme und fährt sich mit den Fingern durchs Haar. „Du bist komplett neben der Spur. Völlig verrückt."

„Ja, mein Lieber. Verrückt nach dir." Sie zwinkert ihm frech zu.

„Ich dachte eigentlich, dass du es mittlerweile begriffen hättest", entgegnet er. „Aber du scheinst noch mehr durch den Wind zu sein, als ich geglaubt habe. Ich finde, unter diesen Umständen ist es wirklich das Beste, wenn du dich aus unserem Unternehmen verabschiedest. Du hast ohnehin nie viel gemacht, außer in der Öffentlichkeit mit dem Hintern zu wackeln."

„Was hast du da gerade gesagt?"

„Du hast richtig gehört!" Er ballt die Hände zu Fäusten, um sich abzureagieren. „Unser Unternehmen kann Leute wie dich nicht gebrauchen."

„Aber ich bin euer Aushängeschild. Denk doch an all die Kunden, die ich gerade in der Öffentlichkeitsarbeit schon gewonnen habe."

„Ach komm, Carolin. Wir wissen doch beide, dass die eigentliche Arbeit immer die anderen gemacht haben. Du warst immer nur das nett grinsende Madamchen, das Hände für die Kamera geschüttelt hat."

„Das ist es, was du in mir siehst? Ein Madamchen?" Sie holt Luft. „Ist es das, was aus unserer Liebe geworden ist? Wir wollten die ganze Welt bereisen. Weißt du noch?"

„Oh es gibt vieles, das ich noch weiß, aber die Dinge sind, wie sie sind. Und zwar nicht, weil ich es so gewollt habe, sondern weil ... ach, weißt du was? Es hat keinen Sinn, dir das zu erklären. Du würdest doch wieder nur deine eigene Wahrheit daraus basteln."

In ihren Augen kann er erkennen, dass sie auch jetzt wieder dabei ist, sich eine dieser Wahrheiten zusammenzureimen.

„Die anderen schaffen das hier auch allein", sagt er entschlossen. „Pack dein Zeug und mach dich auf den Weg wohin auch immer. Hauptsache, du begreifst endlich, dass dich sowohl das Unternehmen als auch mein Privatleben nichts mehr angehen."

„Aber Elian, wie redest du denn eigentlich mit mir?"

Er betrachtet sie mit missbilligendem Blick. „So, wie ich es schon lange hätte tun sollen."

Kapitel 29

Ich schiebe die Decke von meinen Beinen und greife nach meinem Handy.

Kurz nach acht und noch immer keine Nachricht von Papa.

So sehr ich mich auch über meine Couch, „Two and a Half Men" und ein wenig Ruhe freue, so nervös werde ich langsam, dass er noch immer nicht zu Hause ist.

Ich lese erneut die Nachricht, die ich ihm vor vier Stunden geschrieben habe.

Papa, ich habe versucht, dich anzurufen, aber im Messelärm hast du es wahrscheinlich nicht gehört. Ich habe fast eine Stunde am Wagen gewartet und fahre jetzt nach Hause. Bitte ruf mich an, falls ich dich abholen soll oder nimm dir ein Taxi. Bis nachher.

Ich drücke die Kurzwahl, aber es springt sofort die Mailbox an.

Langsam mache ich mir Sorgen. Vielleicht

hat er nur einen alten Freund getroffen und sich verquatscht. Aber was, wenn ihm etwas passiert ist?

Widerstrebend erhebe ich mich von der Couch und greife nach meiner Strickjacke, die über der Sessellehne hängt.

Was für ein schrecklicher Tag. Erst die Sache mit Elian und dieser Gewitterziege, dann verschwindet auch noch mein Vater spurlos.

Ich schlurfe entmutigt zur Flurgarderobe und ziehe den Autoschlüssel ab.

Nicht zu fassen, dass ich meinem eigenen Vater hinterherlaufen muss.

*

Meine Nervosität ist mittlerweile einer ernsthaften Sorge gewichen. Kurz nach acht und noch immer kein Lebenszeichen von ihm.

Er hätte sich doch wenigstens gemeldet, wenn er einen alten Kumpel getroffen hätte, oder?

Nach einem frustrierenden Besuch des leergefegten Messeparkplatzes, der unerwünschte

Erinnerungen an die Begegnung mit Elian wachgerufen hat, peile ich in meiner Verzweiflung den ersten Ort an, der mir in den Sinn kommt: Das Haus meiner Eltern. Auch, wenn sie gerade kein Paar sind, wird Mama zweifellos meine Sorge um ihn teilen. Vielleicht weiß sie, was jetzt zu tun ist.

Ich schiebe den Schlüssel ins Schloss und betrete ein totenstilles Haus.

„Mama!" Ich werde die Tür hinter mir zu. „Bist du da?"

Keine Reaktion. Nicht ein einziges Geräusch.

„Mamaaaaa! Ich bin's!"

Endlich. Das Licht auf der Treppe geht an. Mit zerzaustem Haar und müdem Gesicht kommt sie die Stufen herunter, während sie ihren Bademantel zubindet.

„Felina!" Unten angekommen greift sie besorgt nach meinen Händen. „Du siehst ja furchtbar aus, Kind. Ist alles in Ordnung? Hast du Kummer?"

„Hast du schon geschlafen?", frage ich.

„Ich hatte Kopfschmerzen." Sie zieht mich zur Küche und macht das Licht an. „Und jetzt setz dich erst mal und erzähl ganz in Ruhe, was los ist. Ich mach dir schnell mal einen Tee."

„Ich will jetzt aber keinen Tee, Mama." Ich lasse mich auf einen der Stühle fallen. „Ich war heute Nachmittag mit Papa auf der Messe und musste dann spontan weg. Seitdem erreiche ich ihn einfach nicht. Die Messe hat schon lange geschlossen und auf seinem Handy springt immer nur die Mailbox an. Ich mache mir ernsthafte Sorgen um ihn."

„Dein Vater?", wiederholt sie irritiert.

„Ja, Mama, mein Vater – und *dein* Mann, wenn ich dich daran erinnern darf." Mein Tonfall ist bissiger als beabsichtigt. Doch ehe ich mich dafür entschuldigen kann, mischt sich eine andere Stimme in unser Gespräch.

„Felina. Was machst du denn hier?"

Wie vom Blitz getroffen springe ich auf. „Papa!"

Mit unschuldigem Grinsen steht er in der Küchentür und bindet ebenfalls seinen Bademantel zu.

„Das ist ja mal eine Überraschung." Er lächelt unschuldig. „Wir alle drei, endlich mal wieder vereint."

„Was um Himmelswillen machst du hier? Ich habe immerzu versucht, dich zu erreichen."

Mama setzt sich an den Tisch und verliert sich in verlegenem Grinsen, während sich Papa am Kopf kratzt, anscheinend auf der Suche nach den richtigen Worten.

„Ich hatte ja deine Nachricht gelesen", erklärt er, „und wusste, dass du zu Hause bist. Also kein Grund zur Sorge für mich."

„Kein Grund zur Sorge für *dich*? Bist du mal auf die Idee gekommen, dass *ich* mir Sorgen um dich mache?" Ich schaue entgeistert zu meiner Mutter, dann wieder zu ihm. „Was läuft hier eigentlich? Habt ihr euch etwa wieder versöhnt?"

„Tut mir leid", antwortet er. „Der Nachmittag war so ereignisreich, dass ich einfach nicht daran gedacht habe, mich bei dir zu melden."

„Ereignisreich?" Ich lasse mich mit ungläubigem Blick erneut auf einen der Stühle fallen.

Meine Mutter hält sich kichernd die Hand vor den Mund.

Für einen Moment komme ich mir selbst vor wie eine Mutter, die ihre beiden Sprösslinge zur Rede stellt.

„Dein Vater und ich", beginnt Mama schließlich, „wir sind uns zufällig auf der Messe begegnet."

Anscheinend ein Ort der einprägsamen Begegnungen, denke ich heimlich, bleibe aber still.

„Anfangs war es seltsam", Papa setzt sich zu uns, „aber dann konnten wir plötzlich nicht mehr aufhören zu reden. Darüber, wie sehr wir beide unter der Situation leiden, was falsch gelaufen ist und was wir ändern wollen."

„Sag mal, stimmt es, was dein Vater sagt?", fragt mich meine Mutter. „Dass deine Freundin aus Husum sicher nichts dagegen hätte, wenn dein Vater und ich sie auch mal allein besuchen würden? Er hat so von der Gegend geschwärmt und es wäre eine tolle Gelegenheit, unseren Alltag endlich etwas abwechslungsreicher zu gestalten. Kleine Ausflüge und so, du verstehst?"

Papa greift nach Mamas Hand und küsst sie wie ein Frischverliebter. „Alles, was du willst, mein Schatz."

„Moment, Moment", unterbreche ich die beiden. „Dann habt ihr euch also auf der Messe wiedergetroffen, ein paar Sätze gewechselt und –

schwuppdiwupp – seid ihr plötzlich wieder ein Paar?" Ich lache zynisch. „Das gibt's ja nicht. Seit Tagen rede ich auf Papa ein, dass er sich ein bisschen mehr ins Zeug legen muss und er tut so, als wäre das die schwerste Sache der Welt und dann trefft ihr euch zufällig und plötzlich ist alles gar kein Problem mehr?"

„Freust du dich denn nicht?", fragt Mama.

„Natürlich freue ich mich, aber ... Mensch, Leute, ich habe mir Sorgen gemacht."

Papa klopft mir auf den Rücken. „Kopf hoch, Liebes. Wie du siehst, bin ich noch immer in einem Stück."

Langsam fällt die Anspannung von mir ab.

Nun kann auch ich mir ein Lächeln nicht mehr verkneifen.

„Es war ja auch gar nicht geplant, dass dein Vater hier übernachtet", erklärt Mama. „Aber als er mit zu mir gekommen ist und wir oben waren, sind wir irgendwie eingeschlafen. Also nachdem wir ..."

„Keine Einzelheiten, bitte." Ich hebe die Hand. „Die Informationen, die ich bisher habe, genügen mir vollkommen."

Die beiden fassen sich kichernd über den

Tisch hinweg an den Händen.

„Also echt, Leute", ich lehne mich zurück und betrachte die beiden ungläubig, „ihr habt euch wirklich wie gestörte Teenies benommen, wisst ihr das?"

„Dafür ist aber auch unsere Liebe wie die von zwei frischverliebten Teenies", stellt mein Vater mit stolzem Blick fest.

„Oh, Günther", Mama küsst ihn auf die Wange, „das hast du aber schön gesagt."

„Weißt du was, Mama?" Ich zwinkere ihr zu. „Ich glaube, ich hätte jetzt doch gerne einen kleinen Tee."

Kapitel 30

Einen Monat später

Das Meer hat so früh am Morgen beinahe etwas Magisches. Hier draußen auf der Terrasse kann ich es beinahe schmecken, das Salz in der Luft, während die Wellen mir ein Lied zu singen scheinen.

Der Laptop liegt auf meinen ausgestreckten Beinen, die Lehne meines Liegestuhls ist hochgeklappt. Dennoch ist der Plan, das neue Buch zu beginnen, derzeit tatsächlich nichts anderes als ein Plan. In Wirklichkeit bin ich so weit vom Schreiben entfernt, wie man nur sein kann.

Liegt es daran, dass „Millionäre unerwünscht" endlich veröffentlicht ist und somit eine Ära, das Schreiben an diesem Buch, auf unerklärlich bedrückende Art und Weise zu Ende gegangen ist?

Die Ära Elian und Felina.

Warum nur verbinde ich dieses Buch trotz

der wenigen Tage, die wir zusammen hatten, noch immer mit ihm? Und warum ist er jetzt, nachdem es mir mittlerweile mehrere Stunden am Tag gelingt, nicht an ihn zu denken, plötzlich wieder so gegenwärtig in meinen Gedanken?

Die Antwort liegt wahrscheinlich wirklich in dem frisch gedruckten Buch, das neben mir auf dem Klapptisch liegt.

Wie schön es geworden ist. Marina hat sich mit der Arbeit am Buchcover wieder mal selbst übertroffen.

Marina.

Wann habe ich eigentlich das letzte Mal mit ihr telefoniert?

Instinktiv greife ich nach meinem Handy und drücke auf ihren Namen.

„Hey, da ist sie ja, meine Bestsellerautorin!"

„Nun mal nicht übertreiben. Es ist gerade mal auf Rang 90."

„Hauptsache Top 100. Ich bin wahnsinnig stolz auf dich, Püppi. Habe vorhin gerade den obligatorischen Bestsellerlisten-Check gemacht. Warum rufst du an?"

„Nur so. Bin gelangweilt."

„Gelangweilt? Du? Du bist doch praktisch immer am Schreiben."

„Sonst schon, aber heute früh finde ich einfach keinen Einstieg. Ich glaube, ich brauche mal ein paar Tage Pause, bevor ich mich ans nächste Projekt wage."

„Na, dann gönn sie dir doch einfach. Du hast es dir auf jeden Fall verdient."

„Meinst du?"

„Klar. Umso mehr Power hast du dann für das erste Kapitel. Hast du eigentlich schon Rezensionen bekommen? Also, für *Millionäre unerwünscht*?"

„Gestern Abend war noch keine da, heute habe ich noch nicht geguckt."

„Na dann hopp hopp. Vielleicht hat sich ja wieder mal ein gewisser Elian R. zu Wort gemeldet."

Ich schlucke.

„Oh sorry, Süße", entschuldigt sie sich sofort, „immer noch kein gutes Thema, oder?"

„Schon okay. Ich werde es überleben. Es ist immerhin schon einen Monat her und langsam sollte ich drüber weg sein."

„Bist du es denn? Drüber weg, meine ich?"

„Na ja, es geht mir gut, wenn du das meinst."

„Du klingst irgendwie traurig."

„Es ist alles okay. Ich bin nur noch etwas … na ja … müde."

„Und wenn du nochmal mit ihm sprichst? Die Wut und die Emotionen sollten doch mittlerweile abgeflacht sein."

„Marina, er ist verlobt und bald wird er verheiratet sein. Was für einen Sinn soll das haben?"

„Keine Ahnung. Vielleicht den, dass er sich eben doch für dich entscheidet."

„Ein Mann, der zweigleisig fährt, kann nicht der richtige für mich sein, ganz egal, ob ich ihm hinterhertrauere oder nicht."

„Na ja. Du wirst am besten wissen, was das Richtige für dich ist."

„Das weiß ich auch. Glaube mir."

„Dann will ich dich mal nicht weiter vom Faulsein abhalten, Süße. Denk einfach nicht mehr an den Typen und auch nicht an die Arbeit. Leg die Beine hoch und mach die Augen zu."

„Vielleicht mach ich das wirklich."

„Ruf mich an, wenn du Bock auf Shopping

hast.“

„Mach ich.“

„Dann bis später.“

„Mach's gut.“

Als ich auflege, ist lediglich ein Wort in meinem Kopf hängengeblieben: Rezension.

Und plötzlich ist sie wieder da, die Erinnerung an die Rezensionen eines gewissen Elian R., mit denen damals alles angefangen hat. Für gewöhnlich waren seine Motz-Rezensionen nur wenige Stunden nach Veröffentlichung online. Vielleicht ja auch dieses Mal? Trotz allem?

Verrückter Gedanke.

Trotzdem kann ich nicht anders, als den Laptop aufzuklappen und die Shop-Seite des Buchs zu öffnen.

Die Enttäuschung folgt jedoch schon kurz darauf. Bisher ist nur eine Rezension online, und zwar von einer gewissen Julia. Eine schöne Rezension sogar, auch wenn mir eine schlechte aus seiner Feder seltsamerweise gerade lieber wäre.

Ich muss über mich selbst schmunzeln.

In einer sentimentalen Anwandlung öffne ich die Seite des Vorgänger-Buchs, um mir noch einmal seine letzte Rezension und meinen Kommentar darauf durchzulesen.

Wieder einmal hat Felina Merineit bewiesen, dass sie es wie keine andere versteht, über Dinge zu schreiben, von denen sie nicht den blassesten Schimmer hat. In diesem Werk, das sich voller Selbstbewusstsein Roman nennt, hat sie einen Mann von gerade mal Mitte dreißig zum Milliardär gemacht. Ein paar erfolgreiche Filme, in denen er als Autor mitwirkt, dann wird er plötzlich Produzent – und schwuppdiwupp, ist er auch schon Milliardär.

Die Millionäre in ihren Vorgängerbüchern waren der Autorin scheinbar nicht mehr unrealistisch genug, dieses Mal musste es sogar ein Milliardär sein. Doch damit nicht genug: Die Art, wie sie diese eigentlich bodenständige Frau dazu bringt, sich Hals über Kopf in diesen stinkreichen Typen zu verlieben und den Lesern dann auch noch einreden will, dass es ihr einzig und allein aufs Innere dieses Mannes ankommt und nicht auf sein Bankkonto – das ist nicht nur dreist, sondern auch noch himmelschreiend albern.

Plötzlich ist alles wieder da: Die Wut von damals, als ich seine Zeilen zum Buch das erste Mal gelesen habe. Und der Drang, es ihm irgendwie heimzuzahlen.

Ich klicke auf meinen Kommentar und schwelge erneut in Erinnerungen.

Lieber Elian,

seit geraumer Zeit beobachte ich nun schon die Rezensionen, die du bei meinen Büchern hinterlässt.

Am Anfang waren es nur gewöhnliche kritische Rezensionen, wie man sie nun mal hin und wieder erhält. Kritik gehört einfach dazu und als Autor muss man lernen, damit zu leben. Aber jetzt, wo du bereits zum siebten Mal hintereinander eines meiner Bücher rezensiert hast, gibt es eine Frage, nur eine einzige, die ich dir gern stellen möchte: Wenn meine Bücher so unglaubwürdig, unrealistisch und schlecht sind, wie kommt es dann, dass du jedes einzelne davon immer wieder liest und schon wenige Stunden nach der Veröffentlichung öffentlich niedermachst?

Vielleicht hast du ja Lust, mir diese brennende Frage in einem Kommentar zu beantworten? Ich selbst konnte bisher nämlich keine schlüssige Antwort darauf finden.

Mit verklärtem Blick starre ich auf meine eigenen Zeilen. Ist das wirklich erst ein paar Wochen her? Es kommt mir vor, als lägen Welten zwischen damals und heute.

Gerade als ich die Seite wieder schließen will, entdecke ich einen weiteren Kommentar unter meinem. Wieso bin ich darüber nicht per Mail informiert worden?

Als ich ihn öffne, zucke ich unweigerlich zusammen.

Eine Antwort von Elian, über vier Wochen alt.

Moment mal, war das nicht der Tag, an dem Papa und ich nach Husum aufgebrochen sind? Der Tag vor der nächtlichen Begegnung mit Elian nach dem Autorenstammtisch? Die Begegnung, die uns endgültig entzweit hat?

Ich wage es kaum, seine Worte zu lesen. Und doch ist die Neugier stärker.

Liebe Felina,

ich bin dir noch eine Antwort schuldig. Und heute, hoffentlich nicht zu spät, möchte ich sie dir endlich geben.

Es tut mir leid, wenn dich meine Rezensionen aufgewühlt haben, aber zu meiner Verteidigung möchte ich sagen, dass sie in einer Zeit entstanden sind, als ich noch ein völlig falsches Bild von dir als Autorin hatte. Sicher, Kritik ist ebenso wichtig wie Lob, trotzdem muss ich gestehen, dass ich mittlerweile erkannt habe, wie viel Authentizität trotz allem in deinen Büchern liegt und dass es dir vor allem um eines geht: Zu zeigen, dass es in der Liebe eben nicht auf Geld und Status ankommt, sondern nur auf das, was das Herz sagt.

Um dir besser zu erklären, was ich meine, lass mich dir selbst eine kleine Geschichte erzählen.

Vor einiger Zeit verliebte sich ein Mann, den man den Fakten nach zu urteilen tatsächlich als Millionär bezeichnen kann, in eine Frau, die er schon lange als gute Freundin kannte. Ihre Familien standen einander schon seit Jahrzehnten nahe, man war sich also von Anfang *an sehr vertraut.*

Aus diesem Vertrauen entstand irgendwann Liebe. Eine Liebe, die den Mann beflügelte und von einer gemeinsamen Zukunft mit dieser jungen Frau träumen ließ. Alles schien perfekt, sie konnten zusammen lachen und planten, gemeinsam die ganze Welt zu bereisen.

Doch mit dem Moment, in dem er der Frau den Verlobungsring an den Finger steckte, brach eine neue Zeitrechnung an. Plötzlich gewann die Tatsache, dass sie bald Teil einer noch reicheren Familie sein würde als die, in die sie hineingeboren war, gewann zunehmend an Bedeutung für sie. Sie begann, sich in der Öffentlichkeit hochnäsig zu benehmen, behandelte das Personal in Restaurants, in denen sie mit ihrem Verlobten zu Abend aß, von oben herab und war sich plötzlich zu schade, selbst zum Bäcker zu gehen oder in Alltagsklamotten am Strand zu spazieren.

Sie selbst rechtfertigte ihr Verhalten als eine „Vorbereitung auf ihren Status als Ehefrau eines Millionärs", doch der Millionär empfand es als furchtbar unangenehm, überhaupt als solcher bezeichnet zu werden. Letztendlich war er doch vor allem eines: Ein ganz normaler Mann, der sich in eine ganz normale Frau verliebt hatte. Eine Frau, die er geglaubt hatte zu kennen.

Von da an endete jeder Versuch, aus dieser Fremden erneut die Frau zu machen, in die er sich verliebt hatte, im absoluten Chaos. Wann immer er sie bat, das Leben etwas lockerer zu betrachten, antwortete sie ihm mit entzückendem Lächeln, dass sie sich der Verantwortung ihrer Position in der Gesellschaft nicht entziehen dürfe.

Vielleicht war es dumm von diesem Mann, diese Verantwortung nicht anzuerkennen – und vielleicht ist das der Grund, warum sein Vater ihn noch heute hin und wieder einen liebenswerten Träumer nennt. Aber es ist nun mal seine Einstellung zum Leben – und zur Liebe. Und ebendiese Einstellung war der Grund, warum er irgendwann den Entschluss traf, die Verlobung aufzulösen.

Die Frau jedoch nahm seinen Laufpass niemals wirklich ernst. Obwohl er bereits die gesamte Familie über seine Entscheidung informiert hatte, hielt sie es noch wochenlang nach der Trennung nur für eine kurzfristige Phase. Auch die Tatsache, dass er sie nicht mehr *liebte, konnte sie nicht abschrecken. Alles, was zählte, war der Status, der auf sie wartete und von denen sie schon all ihren Freunden erzählt hatte.*

Der Mann versuchte es mit Ignoranz, in dem Glauben, dass sie auf diese Weise begreifen würde, dass eine gemeinsame Zukunft ausgeschlossen war. Und tatsächlich schien sich seine Vermutung auch zu bestätigen.

Irgendwann verliebte sich dieser Mann neu. Endlich hatte er eine Frau kennengelernt, die sich anfangs von keinem seiner Annäherungsversuche beeindrucken ließ. Die Limousine, die er ihr schickte, fand sie peinlich und den Umstand, dass er trotz seines Vermögens kaum Personal in seinem Haus beschäftigte, fand sie eher angenehm als verstörend. Auch die Tatsache, dass sie auf eigenen Beinen stand und sich nicht von einem Mann abhängig machen wollte, beeindruckte ihn von Anfang an.

Das war sie, die Frau, die das Leben auf dieselbe Weise betrachtete wie er, das spürte er von Anfang an.

Alles schien perfekt. Bis zu dem Zeitpunkt, als sich die Ex-Verlobte des Mannes in die junge

Liebe einmischte und der neuen Frau an seiner Seite einredete, dass die Verlobung nach wie vor gültig war. Sie hatte sogar eine Einladung zur Hochzeit aufgehoben und besaß die Frechheit, sie der Frau unter die Nase zu halten.

Die neue Frau in seinem Leben fühlte sich betrogen und verstand die Welt nicht mehr. Sie startete einen vagen Versuch, den Mann zur Rede zu stellen, aber als sie ihn nicht zu Hause antraf, zog sie ihre eigenen Schlüsse und gab seiner Schwester zu verstehen, dass sie nichts mehr mit ihm zu tun habe wollte.

Als er von den Geschehnissen erfuhr, machte er sich sofort auf den Weg zum Haus seiner großen Liebe, um ihr alles zu erklären, aber sie war bereits in eine ihm unbekannte Richtung aufgebrochen.

Und so setzte er all seine Hoffnungen in ein paar Zeilen, die er ihr schrieb, um ihr alles zu erklären. Ob seine Worte Erfolg hatten? Dieses Ende ist bisher leider unbekannt.

Vielleicht war diese kleine Geschichte als Antwort auf deinen Kommentar etwas zu verwirrend. Aber im Moment genügt es mir, wenn ich weiß, dass du sie verstehst. Und zwar *nur du.*

Die Zeilen vor meinen Augen verschwimmen. Jetzt ist alles klar: Er muss sie geschrieben haben, bevor er auf Facebook von meinem Aufenthalt in dem Husumer Lokal erfahren hat.

Und was mache ich? Lasse ihn gar nicht erst zu Wort kommen und versuche stattdessen, ihm einzureden, dass ich mich nur aus Recherchezwecken auf ihn eingelassen habe.

Das Schlimmste daran ist allerdings, dass ganze vier Wochen seitdem vergangen sind. Vier Wochen, in denen er dachte, er wäre mir egal. Vier Wochen, in denen er mich für eine von den Frauen hielt, die ihn nur ausnutzen. Und er denkt es bis heute.

Mir wird schlecht.

Wie mache ich das nur wieder gut? Ist es nicht sogar längst zu spät?

Ich schaue erneut auf seine Zeilen.

Wie viel Mühe er sich gegeben hat, mir alles zu erklären.

Gibt es auf diese Worte überhaupt eine Antwort? Eine Antwort, die seiner würdig ist?

Die Gewissheit, dass seine Gefühle für mich tatsächlich aufrichtig waren, bringt mich zum Lächeln und jagt mir gleichzeitig eine Heidenangst ein: Was, wenn es zu spät ist? Zu spät für uns? Zu spät für einen Neuanfang, nachdem unser erster Start zum Scheitern verurteilt war?

Ich bin unfähig, einen klaren Gedanken zu fassen.

Mein Blick fällt auf das Buch, das noch immer neben mir liegt. Eine vage Idee keimt in mir auf. Die einzige Idee, die ich im Moment habe.

Kapitel 31

Ich fühle mich wie vor einem Vorstellungsgespräch. Heiße und kalte Schauer überkommen mich abwechselnd, als ich die mächtige Treppe hinaufsteige.

Warum nur werde ich das ungute Gefühl nicht los, dass es zu spät ist? Und dass ich jetzt den Preis dafür zu zahlen habe, dass ich ihm nicht zugehört habe, als er versucht hat, mit mir zu reden?

Bevor ich es mir noch einmal anders überlegen kann, berühre ich den Klingelknopf und halte den Atem an.

Als ich wenig später in Nataschas Gesicht blicke, überkommt mich eine erste unliebsame Ahnung, dass es tatsächlich zu spät sein könnte.

„Felina." Sie ist sichtlich überrascht. „Mit dir hätte ich ja absolut nicht gerechnet."

„Hallo Natascha", ich ringe mir ein kleines Lächeln ab, „ich wollte eigentlich zu deinem Bruder."

„Elian? Tut mir leid, aber der ist im

Moment nicht da."

„Wann wird er denn wieder hier sein?"

„Nicht so bald, denke ich. Er ist schon seit einer Woche auf Rügen", erklärt sie. „Es muss eine Nachfolge für Carolin Karstensen gefunden werden und dazu finden im Moment viele Gespräche statt."

„Carolin Karstensen?", wiederhole ich.

Auf ihrem Gesicht breitet sich ein sichtbar schlechtes Gewissen aus. „Apropos Carolin", sagt Natascha, „ich wollte dir doch so gern etwas dazu sagen, denn scheinbar hat es da eine Menge Missverständnisse gegeben. Beim letzten Mal hast du mich ja nicht wirklich zu Wort kommen lassen."

„Es tut mir leid, dass ich so schroff zu dir war." Bevor sie weiterreden kann, lege ich meine Hand auf ihre. „Aber es ist alles gut, Natascha, ich weiß inzwischen alles. Du musst dir keine Vorwürfe machen."

„Tatsächlich? Dann hast du also doch noch mit Elian geredet?"

„Nicht direkt. Um genau zu sein, bin ich deswegen hier."

„Oh verstehe." Sie lässt die Arme sinken.

„Aber wie gesagt, er ist leider nicht da. Im Moment nimmt die Niederlassung auf Rügen sehr viel Zeit in Anspruch."

Ich versuche, mir die Enttäuschung nicht zu sehr anmerken zu lassen.

„Bleibt er denn dauerhaft dort?", frage ich vorsichtig.

„Bei Elian kann man das nie so genau wissen", antwortet sie. „Vor allem, weil er in der letzten Zeit sehr ... na ja ... durch den Wind ist."

Durch den Wind? Etwa wegen mir?

Nimm dich nicht so wichtig, Felina. Seine Welt dreht sich schließlich auch hervorragend ohne dich weiter, wie du siehst.

Ich versuche, meine verwirrenden Gedanken zu vertreiben.

„Alles okay?", fragt Natascha vorsichtig. „Du siehst irgendwie mitgenommen aus."

„Ja ... ähm ... natürlich. Alles okay."

„Was hast du da?", fragt sie.

Erst jetzt fällt mir das Buch in meinen Händen wieder ein.

„Das? Oh, das ist mein neues Buch."

„Ist es etwa schon draußen?" Neugierig versucht sie, aufs Cover zu schielen.

„Erst seit gestern", antworte ich.

„Ich muss es unbedingt lesen." Sie schlägt aufgeregt die Hände zusammen.

„Ich lasse dir gerne eins zukommen", sage ich. „Aber das hier", ich streiche mit der Hand über den Einband, „das hier ist für Elian. Und zwar *nur* für ihn, wenn du verstehst, was ich meine."

„Verstehe." Sie wirkt leicht irritiert.

„Hör mal, Natascha, falls du ihn in nächster Zeit sehen solltest, wäre es dann möglich, dass du es ihm gibst?" Ich reiche ihr das Buch.

„Klar. Ich weiß aber nicht, wann das sein wird."

Ich versuche, mir meine Enttäuschung nicht anmerken zu lassen. „Schon okay."

Mit dem Buch in der Hand steht sie vor mir und betrachtet mich mit einem Lächeln, das mich umso schmerzhafter an die peinliche Situation in dem kleinen Häuschen am Wasser erinnert. Wie unbeschwert wir waren. So unbeschwert, dass uns nicht mal Natascha aus der Ruhe bringen konnte.

„Kann ich sonst noch was für dich tun?", fragt sie.

„Nein. Im Moment nicht. Danke, Natascha." Ich reiche ihr, etwas zu förmlich, die Hand. „Vielleicht sehen wir uns ja mal wieder. Das würde mich freuen."

„Na, das hoffe ich doch. Du weißt, ich bin dein größter Fan."

Ihre Worte wecken eine Wehmut in mir, der ich mich nicht gewachsen fühle. Unweigerlich wende ich mich von ihr ab und laufe die Treppen herunter.

„Mach's gut!", ruft sie mir nach.

Ich winke ihr zu, ohne mich noch einmal umzudrehen.

Neben meinem Wagen steht die Limousine glänzend in der grellen Mittagssonne.

Erinnerungen werden wach. Doch als ich in mein Auto steige und den Motor starte, bin ich wieder allein. Allein mit mir und der Gewissheit, dass ich alles verbockt habe.

Kapitel 32

Sie weiß, dass es sich nicht gehört und dass sie es eigentlich nicht tun sollte, aber nach einem kurzen Anstandsmoment des Zögerns setzt sie sich schließlich auf die Treppe und beginnt, mit hastigen Fingern im Buch zu blättern. Wenn das Buch nur für Elian ist, wie Felina gesagt hat, dann hat sie ihm bestimmt ein paar Worte reingeschrieben. Irgendeine süße Widmung, speziell für ihn.

Doch als Natascha das Buch aufschlägt, findet sie nicht nur ein paar Worte vor. Sowohl die Vorder- als auch die Rückseite des Deckblattes sind lückenlos in engen Zeilen beschrieben.

Sie schämt sich für ihre Neugier. Andererseits, wer wird schon erfahren, dass sie es gelesen hat? Und wenn es Felina so wichtig wäre, es geheim zu halten, hätte sie das Buch verpacken müssen.

Aufgeregt beginnt sie zu lesen:

Lieber Elian,

vielleicht findest du es merkwürdig, dass ich dir mein neues Buch schenke, aber da ich es geschrieben habe, als ich dich kennenlernte, verbinde ich es auf eine Weise mit dir, die ich selbst nicht in vollem Ausmaß verstehe.

Es gibt aber auch einen anderen Grund, warum ich dir diese Zeilen schreibe. Erst heute habe ich durch Zufall deinen Kommentar auf die Rezension gelesen, den du mir vor mittlerweile vier Wochen geschrieben hast.

Sicher hast du geglaubt, dass mir deine Worte gleichgültig waren und ich zu wütend war, um mich bei dir zu melden, aber die Wahrheit ist, dass ich die ganze Zeit über nicht die geringste Ahnung von alledem hatte.

Mit dem Wissen, dass dieses Missverständnis allein durch diese schreckliche Carolin zustande gekommen ist, bedaure ich es umso mehr, dass ich in Husum so gemein zu dir war. Du warst extra den weiten Weg gefahren, um mit mir zu reden – und was tue ich? Lasse dich wie ein kleiner Junge mitten in der Nacht stehen und mache dir auch noch vor, dass ich mich nur aus Recherchezwecken auf dich eingelassen habe.

Ich war verletzt, Elian. So unendlich verletzt. Und ich kam mir schäbig und dumm vor, weil ich wirklich geglaubt hatte, dass deine Gefühle für mich echt sind. Die Demütigung, die mir diese schreckliche Frau angetan hatte, hat dann wohl ihr Übriges getan und mich dazu gebracht, Dinge zu sagen, die ich nicht so gemeint habe und die – das glaubst du mir hoffentlich – nicht weiter von der Wahrheit entfernt sein könnten.

Das tut mir mittlerweile unendlich leid. Aber glaube mir, diese Furie im Mondlicht, die dich so angezickt hat, das war eigentlich nicht ich. Die Frau, die neben dir im Schilf lag, das bin ich. Das Einzige, das die Furie im Mondlicht und die Frau im Schilf gemeinsam haben, ist die Tatsache, dass wir dich beide lieben.

Ja, Elian, ich liebe dich. Aufrichtig und so sehr, wie man einen Menschen nur lieben kann. Vermutlich habe ich es von Anfang an getan.

Wenn ich dich verletzt habe, dann möchte ich dich hiermit von ganzem Herzen um Verzeihung bitten.

Vielleicht ist es für uns beide zu spät, kann sein, trotzdem ist es mir wichtig, dass du weißt,

warum ich so gehandelt habe. Und ich hoffe, dass
du mir eines Tages verzeihen kannst.

Felina

Natascha schlägt mit zitternden Händen das Buch zu. Ob Felina ahnt, dass die Widmung rührender ist als jedes ihrer Bücher?

Sie wischt sich eine Träne aus dem Augenwinkel, während sie einen Entschluss trifft. Ein Entschluss, der ihr in diesem Moment wichtiger scheint als alles andere.

Kapitel 33

„Moin Moin, Fräulein Radloff!" Egon hebt seinen fleischigen Arm, um ihr von der Palette aus zuzuwinken. „Was für ein seltener Gast in unserem bescheidenen Reich."

„Bescheidenes Reich?" Natascha lässt die gewaltige Lagertür hinter sich zufallen. „Das hier ist doch der wichtigste Ort des ganzen Unternehmens."

„Recht haben Sie ja." Egon lehnt sich mit einem Arm gegen eines der deckenhohen Regale. „Trotzdem kann ich mich nicht erinnern, wann ich Sie das letzte Mal hier bei uns im Lager gesehen habe."

„Ich bin auch aus einem ganz bestimmten Grund hier, Egon."

„Na, dann lassen Sie mal hören."

„Fährt der LKW heute noch eine Ladung nach Rügen?"

„Da haben Sie Glück, Fräulein." Er klopft sich mit der Faust gegen die Brust. „Heute fahre ich sogar persönlich rüber. In einer halben Stunde geht's los. Wieso fragen Sie?"

Sie reicht ihm den versiegelten Umschlag. „Der hier muss unbedingt mit."

Er betrachtet den Namen „Elian", der in großen Buchstaben auf dem Umschlag vermerkt ist. „Kein Problem, Fräulein."

„Es ist wirklich sehr wichtig, dass mein Bruder – und zwar *nur* mein Bruder - den Umschlag bekommt. Noch heute."

„Wäre doch gelacht, wenn wir das nicht hinkriegen", antwortet er selbstbewusst.

„Sie geben mir Ihr Wort?"

„Klar doch. Auf Egon ist immer Verlass, das wissen Sie doch."

Natascha zwinkert ihm zu. „Das sind die Worte, die ich hören wollte."

*

Er ist dankbar, als die Bürotür endlich ins Schloss fällt. Nicht nur die letzte Bewerberin für heute auch die letzte Unterhaltung mit redseligen Kollegen.

Endlich ist er allein.

So sehr sich die Belegschaft auch bemüht, ihn über alle Entwicklungen der Niederlassung auf dem Laufenden zu halten, so sehr hat er sich nach diesem Moment der Ruhe gesehnt.

Morgen wird sein Vater von seiner München-Dienstreise zurückkommen. Das bedeutet neue Gespräche, neue Diskussionen über Einstellungen, neue Ideen für die bevorstehende Präsentation.

Aber Elian will nicht reden, selbst das Nachdenken fällt ihm schwer. Nie haben ihn die Entwicklungen des Unternehmens weniger interessiert als im Moment.

Und wenn er sich eine Weile aus allem zurückzieht? Wozu haben sie so geschultes Personal, wenn er sich doch immer wieder um die wichtigen Entscheidungen allein kümmern muss?

Als es an der Tür klopft, denkt er für einen Moment darüber nach, nicht zu reagieren. Doch die Vernunft ist wieder mal stärker.

„Ja, bitte?"

Seine Assistentin reicht ihm einen Umschlag durch die offene Tür. „Das hat der LKW-Fahrer eben für Sie abgegeben, Herr

Radloff. Es ist sehr dringend, sagt er."

„Danke, Bettina."

Doch er macht sich nicht die Mühe, dem Umschlag weitere Beachtung zu schenken. Noch bevor sie die Tür wieder geschlossen hat, hat er ihn zu den anderen Akten und Umschlägen auf seinen überfüllten Schreibtisch gelegt.

Es ist dringend.

Wie oft hat er diesen Satz in den letzten Tagen gehört? Und wie oft war der Grund für die angebliche Dringlichkeit mehr als lächerlich?

Nein, heute ist nur eines dringend: Sein Wunsch, endlich Feierabend zu machen und im Haus seines Vaters ein paar Runden im Pool zu ziehen.

Nur er und unendliche Ruhe.

Was für ein perfekter Plan.

Er schaut zur Uhr über der Tür. Zehn vor sechs.

Was hindert ihn eigentlich daran, genau jetzt Feierabend zu machen?

Er greift in seine Hosentasche. Die Autoschlüssel hat er. Aber wo ist sein Handy?

Er schaut sich suchend um und entdeckt es endlich – auf dem Schreibtisch, direkt neben dem

Umschlag, den er gerade erst dort hingelegt hat.

Kapitel 34

Als ich die Augen öffne, wird mir zum ersten Mal bewusst, wie still mein Haus eigentlich ist, vor allem so früh am Morgen. War es vor dem Streit meiner Eltern schon genauso ruhig? Vor Papas Einzug? Seltsam, dass mir nun genau die Ruhe, nach der ich mich während seiner Anwesenheit so gesehnt habe, mittlerweile immer öfter zu viel wird.

Ich werfe die Decke zur Seite schlüpfe in meine Pantoffeln vor dem Bett.

Und was, wenn ich einfach den ganzen Tag in T-Shirt und Pyjamahose bleibe? Wer will es mir verbieten? Es wird Zeit, die Vorteile, die es bietet, sein eigener Chef zu sein, auch mal auszunutzen.

Während ich mich lustlos ins Bad schleppe und meine Zahnbürste in den Mund schiebe, schaue ich wie jeden Morgen gedankenverloren durchs Fenster zum Meer.

Doch dieses Mal ist es nicht das Meer, das meine Aufmerksamkeit auf sich zieht, sondern das riesige schwarze Etwas vor dem Haus.

Mein Puls beginnt zu rasen.

Ist das wirklich möglich?

Panisch zupfe ich an meinen Haaren herum und versuche, mich vor dem Spiegel in einen halbwegs sonnenlichttauglichen Zustand zu versetzen, merke jedoch, dass ich nicht anders kann, als sofort aus dem Haus zu stürmen.

Ich laufe die Treppen hinab und öffne die Tür so schnell ich kann.

Beim Anblick des Fahrers, der wie ein Soldat vor der Limousine steht, muss ich unweigerlich lachen. Peinlich ist dieser Wagen noch immer – und doch ertappe ich mich bei dem Wunsch, sofort einzusteigen und mich von ihm zum altbekannten Ziel bringen zu lassen.

Doch gerade als ich darauf zulaufe, öffnet sich die Tür von innen.

Er ist es.

Er ist es wirklich.

Als er aussteigt, bleibe ich instinktiv stehen.

In seinen Händen hält er das Buch, das ich erst gestern seiner Schwester gegeben habe.

Erst jetzt wird mir bewusst, dass ich noch immer meine Pyjamahose trage.

„Ich dachte, du bist auf Rügen", ist das Einzige, was mir einfällt.

„Das war ich auch", antwortet er. „Aber dann habe ich ein Buch bekommen."

„Ein Buch", wiederhole ich mit wissendem Grinsen.

„Ja", er lächelt sanft, „ein Buch. Beinahe hätte ich es übersehen."

„Wir übersehen öfter Dinge, denen eigentlich unsere ganze Aufmerksamkeit gehören sollte", sage ich.

„Viel zu oft", antwortet er mit eindringlichem Blick.

Er kommt näher. So nah, dass uns nur noch das Buch voneinander trennt.

„Warum bist du hier?", frage ich, während ich auffordernd die Augenbrauen hebe.

„Na ja, so genau kann ich das nicht beantworten", sagt er. „Vielleicht war es der Wunsch, die Autorin dieses Buchs endlich einmal persönlich kennenzulernen."

Ich presse die Lippen zusammen, während er leise fortfährt. „Vielleicht wollte ich mich aber auch nur vergewissern, ob ich die Widmung im Buch richtig verstanden habe."

Ich senke den Blick auf das Buch in seinen Händen. Diese warmen und kräftigen Hände, die ich so vermisst habe.

„Kann man die Widmung denn falsch verstehen?", frage ich mit einem Augenzwinkern.

„Missverständnisse entstehen schnell", antwortet er, „das solltest du eigentlich am besten wissen."

„Ab sofort ist mein Bedarf an Missverständnissen endgültig gedeckt."

„Und wie sieht es mit deinem Bedarf an Rezensionen aus? Brauchst du die?"

Ich greife nach seiner Hand und umklammere sie so fest, als müsste ich mich vergewissern, dass er wirklich hier ist.

„Rezensionen sind für jeden Autor wichtig", antworte ich selbstbewusst, „ganz besonders von Menschen, die jedes Wort darin ehrlich meinen."

„Ehrlichkeit ist gut", antwortet er leise, während er seinen Finger hebt und sanft über meine Lippen streicht.

„Wo wir gerade beim Thema Ehrlichkeit sind: Habe ich dir schon gesagt, dass ich dich nicht leiden kann?", entgegne ich frech.

„Hast du", er grinst, „und zwar mehr als einmal. Und wo wir gerade bei Geständnissen sind: Ich bin kein Fan von Liebesromanen."

„Dann sind wir ja jetzt quitt."

„Das sind wir." Er legt seine Fingerspitze unter mein Kinn und hebt es leicht an, während sich seine Lippen langsam nähern. Als ich seine Zunge endlich an meiner spüre und seinen Atem warm und vertraut an meinen Wangen, habe ich sogar die Tatsache ausgeblendet, dass der Fahrer noch immer direkt neben uns steht. Fast wie eine Statue.

„Und was machen wir jetzt?", frage ich, als seine Stirn meine berührt.

„Wie wäre es mit einer Spritztour in einer richtig peinlichen Protzkarre?", schlägt er vor.

„Klingt nach einer prima Idee." Ich senke den Blick auf meine Pyjamahose und die Pantoffeln. „Das passende Outfit, um einen Millionär zu begleiten, habe ich ja schon an."

Lachend greift er nach meiner Hand und zieht mich mit in den Wagen.

„Ist das dein Ernst?", rufe ich.

„Mir war nie etwas ernster."

„Aber ich trage noch meinen Pyjama, Elian.

Und meine Pantoffeln."

„Na und? Warum wollen wir ständig das Outfit unserem Vorhaben anpassen? Wie wäre es zur Abwechslung, wenn sich der Anlass dem Outfit anpasst?"

Als er die Wagentür hinter uns schließt und das Fenster herunterfährt, um mit dem Fahrer zu sprechen, zeigt sich das Meer sanft glitzernd in der Ferne. Fast so, als wollte es sagen, dass es auch noch da sein wird, wenn wir zurückkehren.

Aber vielleicht nehmen wir es auch einfach mit. Das Meer. Und meine Pantoffeln.

ENDE

Auszug „Teilzeitküsse" – Über das Buch

„Jan ist das, was man perfekt nennt. Okay, sein Sixpack ist eher ein Vierer-Pack mit weichem Übergang zur Sechs, die klischeehaften blauen Augen sind grau und die dunklen Haare eine Spur zu kurz für den morgendlichen Wuschel-Look, den ich bei Männern so anziehend finde, trotzdem: für mich könnte er nicht perfekter sein.

Jan. Allein sein Name ist perfekt, denn er hat die ideale Herzchen-Größe – oder haben Sie schon mal versucht, Wolfgang oder Alexander in ein Herz zu schreiben? Probieren Sie's ruhig, es sieht einfach nur blöd aus. Jan hingegen passt wie angegossen, nicht nur in ein gemaltes Herz, sondern auch in mein eigenes – und das schlägt für ihn seit unserer ersten Begegnung."

Gutaussehend, intelligent und einfühlsam – in Jan scheint Anna endlich den absoluten Traummann gefunden zu haben. Sie könnte im siebten Himmel schweben, wäre da nicht die lästige Tatsache, dass er sich seinen über alles geliebten Hund Neo trotz Trennung immer noch mit seiner Ex-Freundin Katja teilt. Und die sieht nicht nur unverschämt gut aus, sondern ist auch ein Paradebeispiel für die perfekte Frau: selbstbewusst, schlank, schlagfertig – all das, was die eher unsichere Anna selbst gern wäre. Anstatt die ungestörte Zweisamkeit mit Jan zu genießen, wird Anna durch Katjas ständiges Auftauchen immer wieder an seine Vergangenheit und die eigenen Selbstzweifel erinnert. Als Neo dann auch noch ausgerechnet bei einem Spaziergang mit Anna ausreißt und nicht wieder auftaucht, scheint das Chaos perfekt.

Inklusive des kompletten autobiografischen Buchs „Der Tag, an dem mir das Leben schrieb", das hiermit nach vielen Leser-Nachfragen endlich wieder erhältlich ist.

Jan ist das, was man perfekt nennt. Okay, sein Sixpack ist eher ein Vierer-Pack mit weichem Übergang zur Sechs, die klischeehaften blauen Augen sind grau und die dunklen Haare eine Spur zu kurz für den morgendlichen Wuschel-Look, den ich bei Männern so anziehend finde, trotzdem: für mich könnte er nicht perfekter sein.

Jan. Allein sein Name ist perfekt, denn er hat die ideale Herzchen-Größe – oder haben Sie schon mal versucht, Wolfgang oder Alexander in ein Herz zu schreiben? Probieren Sie's ruhig, es sieht einfach nur blöd aus. Jan hingegen passt wie angegossen, nicht nur in ein gemaltes Herz, sondern auch in mein eigenes – und das schlägt für ihn seit unserer ersten Begegnung.

Unsere erste Begegnung. Ist die denn wirklich schon wieder drei Monate her?

Ich weiß es noch wie heute. Ich hatte mich von meiner Schwester Sabrina dazu überreden lassen, ehrenamtlich beim Tierheimfest auszuhelfen und Kuchen zu verkaufen. Sabrina arbeitet dort und weiß alles über Tiere, was es zu wissen gibt. Meine Erfahrung hingegen geht nicht über den Vogelfuttereinkauf im Winter hinaus, wenn mich Jahr für Jahr mütterliche Gefühle für die Kohlmeisen auf meinem Balkon überkommen.

Aber Erfahrung brauchte ich auch nicht, um da zu sein, wo ich an jenem Mainachmittag stand, als plötzlich dieser unverschämt attraktive Kerl mit einem sibirischen Husky an der Leine vor mir auftauchte, um mich mit Dahinschmelzblick um ein Stück Pflaumenkuchen zu bitten.

Ich lehne mich mit verklärtem Blick in meinem Kinosessel zurück, als mir genau diese Anekdote in den Sinn kommt. Auf der Leinwand rettet gerade irgendein glatzköpfiger Muskelprotz die Welt, doch alles, was ich wahrnehme, ist die Hand, die neben meiner in einer überdimensionalen Popcorntüte steckt.

Flüchtig streifen sich unsere Finger. Ist es möglich, dass mir selbst eine inzwischen vertraut gewordene Berührung wie diese noch immer ein Bauchflattern beschert?

Seine Augen suchen meine in der Dunkelheit des Saals.

Langsam nähert er sich zum Kuss.

Da ist es wieder, das Kribbeln, das blitzschnell von meinem Bauch über Arme und Schenkel bis in die Knie wandert, die so weich werden, dass mich lediglich der Kinosessel davor bewahrt umzukippen.

Ich übertreibe schon wieder.

Aber Jan bringt mich dazu. Noch immer und immer wieder.

„Hab ich dir schon gesagt, wie hübsch du heute aussiehst?", flüstert er mir zu.

Ich nicke. „Aber du kannst es gern noch ein paar Mal wiederholen."

Zum zweiten Mal an diesem Abend bin ich dankbar dafür, auf Sabrinas Rat gehört und das dunkelblaue Top gekauft zu haben. Mir war es etwas zu eng, um den leichten Rettungsring-Ansatz an meiner Taille zu kaschieren, Sabrina hingegen vertrat die Meinung, dass kein Mann auch nur eine Ahnung von Rettungsringen haben wird, wenn er das Dekolleté sieht, das dieses Top zu zaubern imstande ist. Und überhaupt, wer braucht schon einen Rettungsring, wenn er stattdessen in den Tiefen eines Dekolletés versinken kann?

Sabrinas Worte, nicht meine.

Aber auch wenn sie seltsame Vergleiche macht, mit einem hatte sie recht: So ein Dekolleté ist wirklich imstande zu zaubern. Zumindest Jans Blick zufolge.

Er wickelt eine meiner roten Locken um seinen Finger. Noch so eine gute Idee, das Haar heute offen zu tragen.

„Ich bin dafür, dass wir heute bei mir übernachten." Ich lächele vielsagend. „Ich habe deinen Lieblingswein gekauft und eine Lasagne im Ofen, die nur noch aufgewärmt werden muss."

„Aber Neo", beginnt er.

„Neos Lieblingsfutter steht schon lange im Schrank", komme ich seinen Ausflüchten zuvor. „Wir müssen ihn nur noch abholen und einem gemütlichen Abend steht nichts mehr im Wege."

Zwei winzige Falten schieben sich zwischen seine Augenbrauen, während er sich in seinem Sessel zurücklehnt und zur Leinwand starrt.

„Alles okay?", frage ich.

„Eigentlich schon", murmelt er. „Es ist nur …"

Ich kenne seine Antwort, bevor er weiterspricht.

„Kannst du sie nicht anrufen", komme ich ihm zuvor, „und ihr sagen, dass sie Neo morgen besuchen kann?"

„Im Grunde schon, aber sie wollte heute noch zum Tierarzt und die Ohrentropfen für ihn abholen. Die braucht er heute Abend. Eine Dosis nimmt sie mit, der Rest bleibt bei uns."

„Ohrentropfen", wiederhole ich, während ich in die Popcorn-Tüte greife. „Verstehe."

„Bist du sauer?"

„Du weißt, dass ich Neo liebe", antworte ich diplomatisch. „Ich will, dass es ihm gut geht."

„Das war keine Antwort auf meine Frage." In seinem Lächeln liegt der Hauch eines schlechten Gewissens.

„Und du weißt auch", fahre ich fort, „dass es mir nicht zusteht, über die Abmachung zwischen dir und deiner Ex zu urteilen. Es ist nun mal euer gemeinsamer Hund und jeder Blinde sieht, wie sehr Neo nach wie vor an ihr hängt."

„Das stimmt schon, aber was soll das heißen, es steht dir nicht zu, darüber zu urteilen?" Er zieht meine Hand aus der Popcorntüte und umfasst sie liebevoll mit seinen Fingern. „Du bist immerhin meine Freundin und ich möchte nicht, dass du irgendetwas in dich hineinfrisst."

Schweigend bemühe ich mich um ein Lächeln, das ihm einmal mehr meine Toleranz und Unkompliziertheit demonstrieren soll, doch vermutlich weiß er ohnehin, wie es in Wirklichkeit in mir aussieht. Drei Monate sind mehr als genügend Zeit, um eine Fassade zu durchschauen – besonders wenn ich diejenige bin, die entsprechende Fassade erschaffen hat. Und wenn es etwas gibt, das ich absolut nicht beherrsche, dann ist es das Vortäuschen falscher Tatsachen.

„Das mit Katja und mir ist schon fast ein Jahr her", sagt er. „Und ich bin froh, dass wir es trotz der Trennung geschafft haben, einigermaßen vernünftig miteinander umzugehen."

Ich nicke. „Mach dir keine Gedanken um mich. Ich verstehe das. Wirklich."

Mühsam versuche ich, das rote Sommerkleid mit dem tiefen Ausschnitt aus meinem Kopf zu verbannen, das Katja beim letzten Mal getragen hat.

„Abgesehen davon hätte es auch alles ganz anders ablaufen können", fährt Jan fort. „Ich bin einfach nur froh, dass Neo bei mir wohnt. Da nehme ich es lieber in Kauf, dass sie ihn alle paar

Tage zum Spaziergang abholt."

„Wirklich, Jan", ich gebe mir jetzt etwas mehr Mühe mit meinem toleranten Lächeln, „es ist alles gut. Glaub mir. Ich hatte mich nur eben auf einen schönen Abend mit dir gefreut."

„Der ja trotzdem stattfinden wird", fällt er mir mit gewohntem Unschuldsblick ins Wort, „nur eben bei mir. Wir können den Wein und die Lasagne ja nachher noch abholen. Es sei denn, dir ist es lieber, Katja holt Neo in deiner Wohnung ab. Ich meine, wenn ich sie anrufe, dann würde sie vielleicht ..."

„Nein nein." Allein der Gedanke, dass sie mit ihrem elfengleichen Gang durch meine Wohnung schwebt, beschert mir eine Gänsehaut. „Alles gut. Und jetzt lass uns lieber den Abend genießen, anstatt uns mit Banalitäten aufzuhalten."

Banalitäten. Ein Wort, das Jan nur allzu gern in Bezug auf Themen wie diese verwendet. Und jetzt benutze *ich* es? Fange ich etwa an, ihm nach dem Mund zu reden?

Vermutlich sollte ich das Ganze wirklich etwas entspannter betrachten und mich stattdessen lieber darüber freuen, dass sie keine gemeinsamen Kinder haben. Andere teilen sich das Sorgerecht für ein Kind, bei Jan und seiner Ex ist es eben ein sibirischer Husky.

Na und?

Der Muskelprotz auf der Leinwand trägt gerade eine Frau aus einem brennenden Haus, die dankbar seinen Hals umklammert.

Was für ein Klischee, möchte ich brüllen und frage mich im selben Moment, ob ich damit mich oder den Film meine.

„Also habt ihr gestern schon wieder nicht bei dir geschlafen?" Sabrina hebt einen Zehn-Kilo-Hundefuttersack in ihren Kofferraum. „Du hattest doch extra alles so schön hergerichtet, das Futter für Neo gekauft, die Duftkerzen."

„Na ja, es hat sich halt anders ergeben." Ich schiebe eine Stiege Katzenfutter neben den Sack.

„Anders ergeben?" Sabrina hebt skeptisch die Augenbrauen, während die kurzen Fransen ihrer blonden Haare in ihre Stirn fallen. Seufzend lässt sie sich auf die Kante des Kofferraums fallen.

„Warum musst eigentlich immer du die Einkäufe für das Tierheim erledigen?", frage ich. „Ihr habt doch auch kräftige Männer dort, oder?"

„Jetzt lenk nicht ab, okay?"

„Ich lenke doch gar nicht ab." Ich setze mich neben sie. „Jan und ich hatten einen tollen Abend, das ist alles, worauf es ankommt."

„Einen tollen Abend, den ihr wieder mal in seiner Wohnung verbracht habt, weil er auf diese Katja warten musste, richtig?"

„Sicher war sie da." Ich zucke gleichgültig mit den Schultern. „Aber nur kurz. Sie hat den Hund abgeholt. Außerdem hatte sie Ohrentropfen dabei, die er brauchte."

„Ohrentropfen, so so."

„Kannst du bitte aufhören, so zu tun, als hättest du mich bei irgendetwas erwischt?"

„Hab ich ja auch. Nämlich dabei, wie du dir selbst etwas vormachst."

„Ich mache mir nichts vor. Ich sage nur, wie es ist. Ganz neutral. Das ändert ja nichts daran, dass Jan und ich noch immer so verliebt sind wie am ersten Tag. Und das mit Katja, tja, das ist eben so – und zur Zeit nicht zu ändern."

„Bloß zur Zeit?"

„Neo ist eben so was wie", ich suche nach dem richtigen Wort, „ein Teilzeithund. Sie haben ihn sich angeschafft, als sie noch liiert waren, deshalb gehört er ihnen gemeinsam."

„Solange es nur ein Teilzeit*hund* ist und keine Teilzeit*küsse*, die er morgens dieser Katja und abends dir gibt."

„Kannst du bitte aufhören?" Ich ramme ihr meinen Ellenbogen in die Hüfte.

„Nur ein Witz, Mausi."

„Du sollst mich nicht immer Mausi nennen. Du bist gerade mal achtundzwanzig – nur ein Jahr älter als ich."

„Mausi bleibt Mausi."

„Können wir jetzt bitte das Thema wechseln und die Sachen ins Tierheim bringen?"

„Hey, hallo – Erde an Anna!" Sabrinas Stirn legt sich in Falten. „Kannst du bitte mal für einen Moment aufhören, so zu tun, als wäre ich Jan? Ich bin's, dein Schwesterchen. Also bitte hör auf mit der Show und gib endlich zu, wie es wirklich in dir aussieht. Dein ewiges Verständnis für diese vollbusige Blondine aus seiner Vergangenheit fängt nämlich an zu nerven."

„Willst du denn unbedingt, dass ich mich aufrege?"

„Du sollst die Sache nur nicht in dich hineinfressen."

„Das hat Jan auch gesagt."

„Siehst du? Weil er nämlich selbst merkt, was für eine beschissene Situation das ist."

„So hat er das nicht gemeint."

„Aber *ich* meine es so. Irgendwann muss das doch mal ein Ende haben. Soll diese Frau jetzt alle zwei Tage bei euch auftauchen? Das kann doch echt nicht ewig so weitergehen."

„Jan würde Neo niemals aufgeben. Und ich hänge ja selbst an dem Vierbeiner."

„Das verlangt ja auch niemand. Aber es muss doch irgendeine andere Lösung geben."

„Und was für eine Lösung soll das sein? Sie liebt den Hund." Ich räuspere mich, als müsste ich nicht nur Sabrina, sondern auch mich selbst überzeugen. „Im Moment gibt es nun mal keinen anderen Weg. Außerdem ist es mir lieber, dass sie Neo abholt, wenn ich bei Jan bin, als wenn es hinter meinem Rücken geschieht."

„Aha!" Sabrina wedelt wichtigtuerisch mit dem Zeigefinger. „Dann misstraust du ihm also doch!"

„Ich misstraue ihm nicht. Ich ..." Ich erhebe mich von der Kofferraumkante. „Sag mal, kann es sein, dass du mich mit aller Macht wütender machen willst, als ich es ohnehin schon bin?"

„Ich will nur nicht, dass dir jemand wehtut. Das ist alles."

„Es tut mir niemand weh, verstanden? Und jetzt lass uns endlich das verdammte Futter wegbringen, okay?"

„Von mir aus." Sie steht auf und schmeißt die Kofferraumklappe zu. „Ich hoffe nur, dass du dich nicht zu lange verarschen lässt."

„Niemand verarscht mich. Wenn du es ganz genau wissen willst, ist diese Katja sogar ganz nett."

„Nett. Ja. Nett sind Sekretärinnen auch. Solange bis du deinen eigenen Ehemann mit ihr im Bett erwischst."

„Tja." Ich zwinkere ihr lachend zu. „Da habe ich ja Glück, dass Jan keine Sekretärin hat und wir nicht verheiratet sind."

*

Es soll ja Frauen geben, die sich beim richtigen Mann voll und ganz fallen lassen und den Rest der Welt vergessen können. Mit Herzchen in den Augen und voller Selbstbewusstsein gelingt es ihnen, sich ganz und gar ihren Gefühlen hinzugeben und einfach nur verliebt zu sein.

Ich schaffe beides: Wahnsinnig verknallt zu

sein und trotzdem alle zwei Sekunden darüber nachzudenken, wie viel Einfluss meine Cellulite auf seinen Verliebtheitsgrad hat.

Diese Gedanken sind es auch, die mir durch den Kopf gehen, als wir an diesem Abend knutschend auf seinem Sofa liegen.

„Ich steh auf dein Kleid", flüstert er mir ins Ohr. Er atmet diese Feststellung eher aus, als sie wirklich zu sagen. Sein Atem glüht auf meinem Dekolleté, seine Lippen umspielen den Ansatz meiner Brüste, während ich mit meinen Fingern durch sein Haar fahre.

„Ich habe es gestern erst gekauft", antworte ich.

„Ich würde sagen, eine sehr kluge Geldanlage."

„Ist doch nur ein Kleid."

„An einer anderen Frau wäre es vielleicht nur ein Kleid, aber an dir ..." Da sind sie wieder, seine unverschämt weichen Lippen an meinem Hals.

Neo liegt mit zufriedenem Schnaufen neben dem Sofa, sein Kauknochen direkt neben ihm. Unsere Knutscherei scheint ihn nicht sonderlich zu beeindrucken.

„Hast du morgen Abend schon etwas vor?",
fragt Jan.

„Ich bin bis vier im Büro, danach gehöre
ich dir, wenn du willst."

Dass ich nicht nur nach vier, sondern auch
während meiner täglichen Arbeitszeit im
langweiligsten Schreibbüro der Welt eigentlich
unentwegt an ihn denke, behalte ich für mich.
Nicht, dass ihm meine Verliebtheit noch zu Kopf
steigt. Reicht ja völlig, wenn mein eigener Kopf
davon vernebelt ist.

„Das Sanitätshaus lädt die Belegschaft
heute Abend zum Büffet beim Italiener ein", sagt
er fröhlich. „Machen die jeden Sommer. Soll so
was wie ein Dankeschön sein."

Dass Jan in einem Sanitätshaus arbeitet
und dabei tagtäglich den Umfang weiblicher Beine
für Therapiestrümpfe ausmisst, verdränge ich seit
Beginn unserer Beziehung mal mehr, mal weniger
erfolgreich. Genauso wie die Tatsache, dass der
Kontakt mit weiblichen Beinen nicht mal ein
Fünftel seiner wirklichen Arbeit ausmacht.

„Das heißt, dass wir uns erst spät sehen?"
Ich stütze mich auf meine Ellenbogen.

„Nur, wenn du mich nicht begleitest." Er

küsst meine Nasenspitze.

„Ich?"

Er nickt triumphierend. „Mein Chef hat heute ganz gönnerhaft verkündet, dass wir auch unsere Partner mitbringen dürfen, wenn wir wollen. Dass die derzeitige Grippewelle unter den Kollegen der Grund dafür ist und er keine Lust hat, dass die Hälfte der Plätze am Tisch leer bleibt, hat er dabei für sich behalten, aber", er zuckt mit den Schultern, „wen interessiert schon der Grund für seinen Sinneswandel? Hauptsache, ich kann dich mitnehmen. Vorausgesetzt natürlich, du hast Lust."

„Klar. Warum nicht? Prima Idee." Meine Gedanken wandern zu meinem Kleiderschrank. Was ziehe ich nur an? Die blaue Bluse? Oder doch lieber das schwarze Top?

„Super." Er strahlt wie ein stolzer kleiner Junge. „Endlich kann ich auch mal vor meinen Kollegen mit dir angeben."

Seine Worte verstummen, als er erneut mein Dekolleté küsst und langsam das Kleid von meinem Körper schält, während ich dabei bin, auf Wolke sieben davon zu schweben.

„Ach übrigens", er schaut kurz auf, „ich

muss morgen nach der Arbeit noch meinen Anzug aus der Reinigung holen. Macht es dir was aus, Katja aufzumachen, wenn sie Neo holen kommt? Nur falls ich noch nicht da sein sollte."

Wie schnell man doch von Wolke sieben auf dem harten Boden der Realität landen kann.

„Klar." Ich kämpfe mir ein Lächeln ab. „Kein Problem."

Wenn man sich zwischen einer blauen Bluse und einem schwarzen Top entscheiden muss und letztendlich ein rotes, enganliegendes Shirt wählt, kann es nur bedeuten, dass das Shirt so umwerfend ist, dass man keine andere Wahl hatte – erst recht nicht, wenn es perfekt zu dem schwarzen Bleistiftrock und den roten Pumps passt.

Diese Feststellung überkommt mich, als ich meine hinreißende Silhouette vor dem Schlafzimmerspiegel betrachte. So selten es vorkommt, dass ich zufrieden mit meinem Spiegelbild bin, so entzückt bin ich an diesem Abend von dem Ergebnis meines einstündigen Styling-Marathons.

Meine Smokey Eyes sorgen für eine dramatisch-weibliche Ausstrahlung, meine roten Locken fallen wie gemalt auf den weichen Stoff des Shirts und mein neuer BH zaubert ein Dekolleté, das genau die richtige Mischung aus Sexappeal und Seriosität darstellt.

Zufrieden senke ich meinen Blick auf Neo, der neben meinen Füßen auf dem Kunstfell vor dem Bett liegt.

„Was ist, Neo? Hast du Lust auf einen kleinen Snack?"

Neo hebt den Kopf und spitzt die Ohren, als hätte er jedes Wort ganz genau verstanden.

„Braver Kerl." Ich bücke mich und nehme sein Gesicht in meine Hände. „Was darf es denn sein? Kaustange oder Leckerli?"

Neo steht auf und folgt mir schwanzwedelnd zur Speisekammer neben der Küche, als das Klingeln an der Tür unseren Plan durchkreuzt.

„Tut mir leid, Süßer, nur aufgeschoben, nicht aufgehoben, okay?"

Als ich zur Tür eile, fange ich erneut meine Umrisse im Spiegel der Flurgarderobe ein. Jan und ich werden das Traumpaar dieses Abends sein, und zwar nicht nur optisch.

Doch meine Euphorie bekommt Risse, als ich eine Stunde früher als erwartet in das Gesicht einer makellos schönen Blondine starre.

„Katja!" Ich knipse mein Alles-ist-gut-Lächeln an.

„Anna, hi."

Ich hasse es, wenn sie „Hi" sagt. Sie sagt immer „Hi", fast so, als kosteten sie die zwei Silben von „Hallo" zu viel Atem.

„Ich dachte, du kommst erst gegen halb sieben", sage ich.

„Ja, sorry." Sie betritt den Flur und streichelt Neo, der ihr Auftauchen überglücklich zur Kenntnis nimmt. „Hey, Großer. Warst du schön brav?"

Ich stehe noch immer in der offenen Tür. Irgendetwas hält mich davon ab, sie zu schließen, solange diese Frau in der Wohnung ist.

Katja zieht Neos Leine von der Garderobe, was ihn dazu bringt, sich wie wild im Kreis zu drehen und jaulend auf und ab zu springen.

„Ich habe nachher noch einen Termin." Sie klemmt die Leine an sein Halsband. „Deshalb bin ich schon ein bisschen früher hier."

Kein Problem. So ein Stündchen ist ja nicht der Rede wert.

„Wer ist mein Bester?" Sie fährt mit den Händen durch sein Nackenfell. „Du bist mein Bester!"

Mit Neo an der Leine bleibt sie schließlich

in der offenen Tür stehen und gibt den Blick auf ihren perfekten Jeansknackarsch frei.

„Ist Jan noch gar nicht da?" Sie streicht sich eine Strähne aus dem perfekt geschminkten Gesicht.

„Er ist noch zur Reinigung. Wir gehen nachher noch aus und er braucht seinen Anzug dafür."

„Verstehe." Sie neigt den Kopf zur Seite und mustert mich mit aufmerksamen Blick. „Na, dann will ich mal nicht weiter stören. Du musst dich ja noch umziehen und alles."

Ich schaue auf mein Outfit herab. „Ähm ..."

„Mach's gut, Anna", flötet sie, bevor ich etwas sagen kann. „Ich bringe Neo morgen Nachmittag wieder."

Ich möchte etwas antworten, doch ehe ich meine Stimme wiedergefunden habe, sehe ich sie schon über den Asphalt in Richtung Parkplatz stolzieren, als hätte man ihr soeben die Gewinnerschärpe einer Miss-Wahl umgehängt.

„Blöde Kuh", murmele ich, während ich ihr einen Moment zu lang hinterherschaue.

Danksagung

In der heutigen Zeit ist es einfach in der Vielzahl aller Neuerscheinungen umso wichtiger, treue Leser an seiner Seite zu haben. Dass ich gerade bei einer neuen Veröffentlichung Leute hinter mir habe, die diese für mich so wichtige Botschaft über ein neues Buch-Baby auch mit ihren Freunden teilen, ist ungeheuer wichtig für mich. Deshalb möchte ich mich gerade bei diesem Roman ganz besonders bedanken bei:

Martina Jacobsen

Yvonne Maletschek

Lea Prahm

Marion Schewe

Stefanie Brandt

Nicole Schardt

Jenny Schottkowski

Stefanie Aden

Ramona Knopf

Nicole Schönberg

Marlene Funk-Knabe

Sabrina Stukowski

Irene Feichtmeier

Christiane Gromm

Diana Drewes

Bozena Städtke

Sandra John

Saskia Heile

Nicole Frömme

Mandy Kamm

Stefanie Stahlberg

Stefanie Roemmer

Birgit Koerdel-Khalil

Larissa Böhmer

Ute Büchel

Daniela Benedyczak

Diana Sattler

Nicole Müller

Thomas Haase

Bianka Schütte

Norma Schillo

Laura Fomferra

Susi Stricko

Nicky Mohini

Svenja Thomsen

Tina Ott

Jeanette von "Eine Bücherwelt"

Corinna Heinrich

Myriam Amann

Jenny Kleindienst

Sylvia Krüger

Heidi Leifgen

Elke Büchner

Ines Fausten

Tina Philipp

Janine Zachariae

Carina Orthoff

Nicole Rubach

Rebecca Rott

Katja Ertelt

Petra Krutzler

Beate Bertling

Mareike Dexler

Claudia Schoen

Sonja Henneberger

Simone Schulz

Diane Andrea Aschaffenburg

Über die Autorin

Offizielle Webseite: www.nancysalchow.de

Facebook: www.facebook.com/nancysalchow

Es gibt ja so hübsch formulierte und hochoffizielle Lebensläufe. Auch ich habe so etwas. Ich möchte euch diese Vita auch nicht vorenthalten. Trotzdem findet ihr im Anschluss an diese offiziellen Worte auch noch mal meine eigenen.

Nancy Salchow, 1981 geboren, arbeitet von Kindesbeinen an an eigenen Romanprojekten, wagte sich allerdings erst 2011 mit ihren Werken an die Öffentlichkeit, mit denen sie einen bundesweiten Literaturwettbewerb gewann. Seitdem hat sie sich sowohl im Selfpublishing als auch als Verlagsautorin (Droemer Knaur) eine treue Leserschaft aufbauen können. Wenn sie nicht gerade an einem Manuskript arbeitet, ist sie als Sängerin sowie

Songtexterin in eigenen musikalischen Projekten aktiv. Mehr über die Autorin auf ihrer Website <u>*www.nancysalchow.de*</u>.

Ja, es stimmt: ich schreibe schon seit meiner frühen Kindheit. Und ja, es stimmt auch, dass ich meine ersten Schritte in der Öffentlichkeit auf Neobooks gewagt habe. Aber wisst ihr, hier in meinem eigenen eBook muss ich mich ja nicht kurzfassen, deshalb kann ich *etwas* weiter ausholen:

Schon als junges Mädchen gab es einen ganz besonderen Traum, der mich überallhin begleitete: Den Traum vom Schreiben. Ich machte mir nie Gedanken darüber, was ich studieren könnte, weil mir immer klar war: Mit der Fantasie, die dir von deiner Mutter in die Wiege gelegt wurde, und dem Gefühl für Worte, brauchst du keine grauen Theoretiker, die dir das beibringen wollen, das du schon vorher konntest. Denn ich wollte mir etwas, mit dem ich so viel Leidenschaft verbinde, nie von strengen Rastern und Schemen ruinieren lassen.

Es gibt Autoren, die sich gern weiterbilden und auch gut darin sind, manchmal beneide ich sie sogar ein bisschen darum – aber ich? Ich bin vermutlich durch und durch Bauch-Mensch. Also kann man wohl behaupten, dass ich Autodidaktin bin. Und so, wie ich schreibe, so *will* ich auch schreiben. Aus dem Bauch heraus. Mit dem Herzen. Kopf aus, Herz an. Ja, auch das geht beim Schreiben. Zumindest wollte ich es immer nur auf diese Weise. Ich wollte mich niemals mit jemandem messen, mich nie mit anderen vergleichen, mir meine Mängel selbst vorhalten. Mein Gedanke war stets: Entweder meine Art zu schreiben gefällt den Menschen oder nicht. Glücklicherweise gab es tatsächlich Menschen, denen diese Art zusagte. Mein Glück. Und ich hoffe, dass es immer so bleiben wird. Aber fangen wir am besten von vorn an:

Genau 90 Pfennig fehlten mir, um stolze Besitzerin des „Tagebuchs der Anne Frank" zu werden. Ich war elf Jahre alt, mit meinen Mitschülern auf Klassenfahrt und sehr unglücklich über die Tatsache, mir das ersehnte Buch nicht kaufen zu können. Meine Klassenkameradin Gabi lieh mir schließlich das fehlende Geld und ebnete mir damit meinen Weg in eine neue Welt. Wer weiß, ob ich später zu Hause noch an das Buch gedacht und meine Eltern gebeten hätte, es mir zu kaufen? Somit war Anne Frank gewissermaßen mein Weg zum Schreiben. Ihr Tagebuch, indem mich gerade ihr Wunsch, Schriftstellerin zu werden, tief berührte, sowie nahezu alle Bücher über das tragische Schicksal der jungen Jüdin, trugen erheblichen Anteil an meiner Leidenschaft für Bücher und prägten schon in jungen Jahren meinen Wunsch, selbst zu schreiben.

Geboren, aufgewachsen und noch immer glücklich verankert an der Ostsee Mecklenburg-Vorpommerns, genau genommen seit 1981, kann ich mir keine schönere Heimat vorstellen (auch wenn diese Behauptung als Münchnerin, Kölnerin oder Berlinerin vermutlich ebenso lauten würde). Als zweites von drei Kindern, Zwillingshälfte und mit allen dem Sternzeichen Widder nachgesagten Eigenschaften ausgestattet, möchte ich schreiben, seitdem ich denken kann. Und seitdem ich schreibe, möchte ich andere Menschen damit erreichen. Schon als junges Mädchen hatte ich stets einen Stift in der Hand.

Nachdem ich lange Zeit vor allem Songtexte für andere oder eigene musikalische Projekte geschrieben habe, beschäftige ich mich seit Ende 2010 intensiv mit dem Schreiben von Romanen, die ich bis dahin oft in sehr tiefen Schubladen unter Verschluss gehalten hatte. Bei einem Projekt der Verlagsgruppe Droemer Knaur, der Plattform **neobooks.com**, stellte ich im Januar 2011 unter dem nicht ganz ernst gemeinten Pseudonym *Novalee Namenlos* Leseproben einiger meiner Romanprojekte online und fand glücklicherweise schnell viele begeisterte Leser, deren Rezensionen und positiven Bewertungen ich es zu verdanken habe, dass ich mich mit mehreren meiner Werke in den Top Ten der Lesercharts, zwischenzeitlich sogar auf dem ersten Platz etablieren konnte. Entscheidend war jedoch die Platzierung im April 2011, am finalen Tag des Wettbewerbs. Vermutlich war es demnach ein positives Omen, dass der Wettbewerb genau am 14. April, meinem 30. Geburtstag, zu Ende ging, ich schließlich mit gleich zwei Werken in den finalen Top Ten landete und mich damit gemeinsam mit acht weiteren Finalisten gegen ca. 1.000 andere Manuskripte durchsetzen konnte.

Am 21. September 2011 erschien mein Debütroman *Herzliche Restgrüße* als eBook bei der Verlagsgruppe Droemer Knaur, im Frühjahr 2012 ging dann meine erste eigene eBook-Edition, ebenfalls bei Neobooks/ Droemer Knaur, an den Start. Erster Titel der Edition war mein Roman *Das Glück im Augenwinkel*, als Nachfolgetitel folgte mein Roman *Das Luftblumenhaus*, der im November 2012 erschien. Neben meinen Verlagsveröffentlichungen über Neobooks versuchte ich mich im Oktober 2011 außerdem erstmals im Selfpublishing, woraufhin es mein Roman *Schlaflos in Tofuwürstchen* direkt in die Top 20 der Rubrik Romane in den Jahresbestellern 2011 auf Amazon schaffte. Gemeinsam mit meinem Roman *Unser sechzehntes Jahr* gehörte das Tofuwürstchen außerdem zu den 100 absoluten Lieblingsbüchern bzw. den 27 beliebtesten Romanen anlässlich des 1. Geburtstags von "Kindle in Deutschland" auf

Amazon. Beide Romane schafften es außerdem auch in die **Kindle-Jahresbesteller 2012** (Top 20, Rubrik Romane). Ein Erfolg, der mich überraschte, aber umso mehr freute. Mein Roman *Doppelkinnbonus* schaffte es dann im November 2012 erstmals in die Amazon Kindle Top 100.

Doch das Blatt der ersten Erfolge wendete sich ein wenig, nachdem ich 2012 mehrere familiäre Schicksalsschläge einstecken musste und daraufhin Anfang 2013 an einer Depression erkrankte. Diese warf mich auch, was das Schreiben betraf, um einiges zurück. Ich war weniger aktiv in den sozialen Netzwerken, zog mich mehr und mehr zurück und schrieb demzufolge auch weniger.

Im September 2013 erschien mein erstes autobiografisches Buch *Das Leben, Zimmer 18 und du*, das für mich zum persönlichen Überraschungserfolg wurde. Auch wenn es eine schwierige Zeit war, die ich darin verarbeitete, so freute es mich doch umso mehr, wie vielen Menschen ich damit scheinbar aus der Seele gesprochen hatte. Noch heute erreichen mich immer wieder Leser-Mails zu dieser Veröffentlichung, die sich ab Herbst 2013 mehrere Monate in den Amazon Top 100 halten konnte und sogar, als einziges selbstverlegtes Buch in der Rubrik „Liebesromane", unter den Finalisten des Lovelybooks-Leserpreises 2013 zu finden war.

Doch nicht nur im Schreiben fühlte und fühle ich mich zu Hause, auch grafisch bin ich sehr gern aktiv und gestalte all meine Buchcover selbst. Lediglich die Cover der Verlagsveröffentlichungen, in diesem Fall "Nur eine Stimme entfernt", "Kirschblütentage", "Die Wildroseninsel" und „Das Sonnenblumenhaus", sind nicht von mir entworfen worden.

Im November 2014 erfüllte sich dann mein absoluter Kindheitstraum: In der Verlagsgruppe Droemer Knaur erschien mein Roman und gleichzeitig mein Verlags-Taschenbuchdebüt *Kirschblütentage*. Im Juni 2016 folgte dann mein zweites Taschenbuch bei Knaur.

Im August 2015 landete mein Roman *Liebe hat kein Gewicht*, eine Neuauflage von

Doppelkinnbonus, per Neueinstieg direkt auf Platz zehn der Top 20 der Tolino-eBook-Bestseller.

Momentan fiebere ich meinem ersten autobiografischen Verlags-Taschenbuch „Das Leben, Zimmer 18 und du" entgegen, das am 10. April 2017 bei HEYNE erscheinen wird.

Ein persönlicher Erfolg war für mich der Einstieg meines E-Books „Mein Chef, der Milliardär" in die Amazon Top 100 im Juli 2016, dem weitere Bestseller folgen sollten.

Ihr möchtet mehr über meine Bücher erfahren? Teil der kleinen und großen Erlebnisse meines täglichen Lebens werden? Dann schaut doch auf meiner Webseite www.nancysalchow.de oder auf Facebook vorbei.

Eure Nancy Salchow

Bisher erschienen

Bisher im Verlag erschienen:

ab 10. April 2017: „Das Leben, Zimmer 18 und du" (Taschenbuch und E-Book, HEYNE)

„Das Sonnenblumenhaus" (Taschenbuch und E-Book, Droemer Knaur)

„Kirschblütentage" (Taschenbuch und E-Book, Droemer Knaur)

„Die Wildrosen-Insel" (E-Book, Droemer Knaur) inklusive der sechs Kurzromane:

„Zwei Worte bis zu Dir"

„Das Ende einer Suche"

„Die Antwort im Meer"

„Die Nacht der Sternenfänger"

„Das Gesicht der Freiheit"

„Zeilen im Sand"

„Nur eine Stimme entfernt" (E-Book, feelings – E-Book-Label der Verlagsgruppe Droemer Knaur)

„Wellenküsse und Sommerfunkeln" (Kurzgeschichte „Von Vätern und Fischbrötchen" in der Anthologie der Herausgeberin Gabriella

Engelmann, E-Book, Taschenbuch erscheint 2017, Droemer Knaur)

Bisher im Selfpublishing erschienen:

„Teilzeitküsse" (E-Book und Taschenbuch)

„Showreifes Liebeschaos" (E-Book)

„Der Bastard, mein Herz und ich" (E-Book)

„Milliardäre küssen keine Nannys" (E-Book)

„Mein Ex, der Milliardär" (E-Book)

„Mein Chef, der Milliardär" (E-Book)

„Novalee's Island: Untreu" (E-Book) „Erdbeereisnächte" (E-Book)

„Knautschzonenküsse" (Taschenbuch und E-Book)

„Unsere Jahre nach dir" (E-Book)

„Das Haus der Luftblumen" (E-Book)

„Von einer, die auszog, ein eBook zu schreiben" (E-Book)

„Das Glück im Augenwinkel" (E-Book)

Sammelbände:

„Die Liebe in deinen Spuren" (E-Book und Taschenbuch, Sammelband mit den Romanen „Das Glück im Augenwinkel" und „Das Haus der Luftblumen")

„Von Liebe, Knautschzonen und Erdbeereis" (E-Book, Sammelband mit den Romanen „Knautschzonenküsse" und „Erdbeereisnächte")

<u>Außerdem in der Vergangenheit erschienen, aber aufgrund geplanter Neu-Veröffentlichung über Verlag etc. nicht mehr erhältlich:</u>

„Eins plus eins macht Leben"

„Meine Hälfte von dir"

„Die Mission der Wunderleser"

Printed in Poland
by Amazon Fulfillment
Poland Sp. z o.o., Wrocław